Ojca Grande
przepisy na zdrowe życie

część II

Marzena i Tadeusz Woźniakowie

Ojca Grande
przepisy na zdrowe życie

część II

Polska Press Sp. z o.o.
Oddział w Gdańsku
Gdańsk 2015

Redaktor
Marzena Burczycka-Woźniak

Projekt okładki
Beata Kwaśniewska

Wydawca
Polska Press Sp. z o.o.
Oddział w Gdańsku
Targ Drzewny 9/11
80-894 Gdańsk
www.dziennikbaltycki.pl

Aby zamówić książkę zadzwoń pod nr tel. 58 30 03 656
lub napisz e-mail: wydawnictwo@prasa.gda.pl

Wydanie V

ISBN 978-83-60203-19-4

Słowo od ojca Grande

Czytelnicy, którzy pochylą się nad tą książką, znajdą w niej „przepisy" na zdrowe życie, które służyły naszym przodkom od stuleci, a my musimy je dziś na nowo odkrywać. Nawet w teraźniejszych, trudnych warunkach, jeśli zwrócimy uwagę na to - co jemy i jak jemy, w jaki sposób organizujemy sobie życie, jak traktujemy bliźnich, jak odnosimy się do Stwórcy - moglibyśmy żyć i do 120 lat. Tyle mieszkaniec Europy ma przed sobą życia w momencie urodzenia. Ażeby nie roztrwonić tego kapitału, musimy żyć uważnie i dokonywać na każdym kroku mądrych wyborów. Kto żyje nieuważnie, ten ginie przed czasem.

Najlepszego zdrowia wszystkim życzę.

Ojciec Jan Grande

Ojciec Jan Grande

Ojciec Jan Grande (imię zakonne Jerzego Majewskiego) urodził się w 1934 r. w okolicach Grodna. Dzieciństwo spędził na Syberii, gdzie wywieziono go podczas wojny wraz z matką i siostrą.

Na Syberii, a także w Tybecie, Petersburgu i Kijowie zetknął się z ziołolecznictwem i starą szkołą niekonwencjonalnej, wschodniej medycyny. Jego zainteresowanie leczeniem zaczęło się od samoleczenia. Po powrocie do Polski ukończył szkołę felczerską, wiele lat pracował w służbie zdrowia.

W czterdziestym czwartym roku życia wstąpił do zakonu oo. bonifratrów w Warszawie. Po kilku latach przeniósł się do klasztoru w Łodzi, a następnie do Wrocławia, gdzie przebywa obecnie.

W kontaktach z chorymi systematycznie pogłębiał swoją ogromną wiedzę ziołoleczniczą. Zajmował się też poradnictwem żywieniowym i medycznym.

Ojciec Jan Grande uważa, że ratowanie ludzkiego zdrowia przed degradacją jest możliwe, jeśli zaczniemy inaczej pojmować sprawę żywienia i pielęgnowania naszych organizmów.

Wrocław 20.IV.2002

Piękny witraż w pachnących ziołami, nastrojowych korytarzach klasztoru

Spis treści

Współtwórcy książki

Bieda biedzie nierówna

- Ojcze Janie, porozmawiajmy o tym momencie, w którym młody człowiek - jeszcze nie zakonnik, jeszcze nie zielarz zrozumiał, że natura powierza mu swoje tajemnice ze szczególną hojnością.

- Dawne to dzieje, moi drodzy, i mocno związane z burzliwą polską historią. Skończyła się wojna, wróciliśmy z matką i siostrą (ojciec - polski wojskowy z wileńskiego Grodna zaginął w czasie wojny) do kraju z zesłania na Syberii, osiedliśmy w Rzepinie. „Pamiątką" po kilku latach życia w ciągłym zimnie i niedojadaniu była gruźlica przewodu pokarmowego. Jako 11-letni wyrostek (skóra i kości) trafiłem do miejscowego szpitala. Większość czasu spędzałem na łóżku, czasem zwlekałem się z niego i podchodziłem do okna. Wpatrywałem się łakomym wzrokiem w coś, co za nim rosło - rachityczne, przysypane kurzem. Skąd wiedziałem, że mi pomoże i że nazywa się piołun? Nie mam pojęcia. Pamiętam tylko ogromne łaknienie i prośbę, której szpitalne siostry - o dziwo - nie zlekceważyły. Przyniesiono mi ciepły napar z piołunowych listków, który mimo goryczy smakował wybornie. Dopominałem się o moje „ziółka" każdego dnia i na pewno wsparły one proces leczenia streptomycyną. Antybiotyki były wówczas w kraju na wagę złota i też matka zapłaciła za lek rodzinnym złotem, które jechało z nami na Syberię i z powrotem zaszyte w poduszce. Biżuteria matki, no i ten piołun podpowiedziany szóstym zmysłem uratowały mi życie.

- Ojcze Janie, powojenny biedny czas jakby wrócił i to nawet w bardziej rozpaczliwej postaci... Praktyczne rady ojca mogą dziś więcej zdziałać aniżeli przed kilkoma laty. Zatem - jak nie dać się biedzie?

- Moich pacjentów, jeśli są rencistami czy emerytami, nie stać już nawet na 10-dekową torebkę ziół z klasztornej apteki. Proszą więc chociaż o połowę... W ślad za biedą narasta fala gruźlicy i raka. Jak długo żyję, nie pamiętam, by jakaś choroba atakowała społeczeństwo tak zawzięcie jak obecnie nowotwory. Na 50 osób, które przyjeżdżają do mnie każdego dnia z najróżniejszych regionów kraju, 60 procent to osoby z rakiem. Dlaczego tak się dzieje? Każda choroba zaczyna się od dramatu w sferze psychiki. Jeśli człowiek żyje w nieustannym napięciu i stresie, jeśli nie widzi przed sobą perspektyw, dochodzi do zaburzeń procesu wchłaniania i przemiany materii. Już nie odżywiamy własnego organizmu, ale zatruwamy go toksynami.

Dodajmy do tego artykuły spożywcze, najczęściej zachodnie, przeładowane chemią, która dodatkowo kaleczy nasze osłabione komórki i oto brama dla nowotworów stoi otworem.

Posługa medyczna wrocławskich bonifratrów skupia się obecnie na tym, by ustawić obronnie ludzki organizm, który z jednej strony atakowany jest przez raka, a z drugiej pustoszy go chemia. Potrzebny jest rodzaj trójprzymierza, w którym staną do walki z chorobą leki medycyny oficjalnej, moc zawarta w ziołach oraz dostarczane z pożywieniem składniki odżywcze i regenerujące.

- **Medykamenty ziołowe, nawet te od bonifratrów, czy słynna vilcacora nie zastąpią radioterapii czy chemioterapii - powiedzmy to Czytelnikom wyraźnie.**

- Wszyscy ci terapeuci, którzy zakazują terapii medycyny oficjalnej uprawiają - Panie Boże, odpuść! - zwykły bandytyzm. Zioła mają znaczenie wspierające. Na przykład vilcacora - lek ziołopochodny z terenów południowej Ameryki w sposób bardzo skuteczny chroni przewód pokarmowy przed patologią, zabezpieczając właściwe wchłanianie jelitowe. Oznacza to możliwość zaopatrywania organizmu w materiał regenerujący. Jeśli dostarczymy mu z pożywieniem wapno, magnez, kobalt, żelazo, fosfor, selen, cynk, wszelkie witaminy - czyli te składniki, z których on sam jest zbudowany - szybko wytworzy skuteczną formę energetycznej obrony.

Od dawna powtarzam, by nie lekceważyć pomidorów. Nauka potwierdziła ostatnio, że ich czerwony barwnik, tak zwany likopen (niezniszczalny ani w ketchupie, ani w przecierze) przenika do wnętrza komórki rakowej, paraliżując jej energię. Należy codziennie spożywać surowe pomidory w okresie letnim, zimą pić sok pomidorowy. Zalecam też w diecie antyrakowej duże ilości brokułów, a zwłaszcza kiełków brokułów. Po trzech dniach od wysiania (można to zrobić w warunkach domowych) należy spożywać kiełki, w których znajdują się największe ilości sulfurofanu. Zawiera on atomy siarki o dużej skuteczności przeciwrakowej. Światowa profilaktyka wiąże z kiełkami brokułów poważne nadzieje na przyszłość.

- **Odetchnijmy trochę, ojcze Janie, biorąc na warsztat wspomnienia z dzieciństwa. Były lata czterdzieste ubiegłego już stulecia. Kilkuletnie dziecko znalazło się z grupą polskich zesłańców na Syberii...**

- Tym, którzy żyją dziś w biedzie i zamartwiają się o przyszłość, przypomnę tylko, że bieda biedzie nierówna. Na szczęście, daleko nam ciągle jeszcze w Polsce do skrajnych warunków. Opowiem może o tym, jak gotowaliśmy „obiady" na kirgiskim stepie.

- **Gdzie to dokładnie było?**

- Około 200 km za Irtyszem, w kierunku jeziora Bajkał - *obładarskaja obłast*. Czas zatrzymał się tam na wieku XIII, ani śladu cywilizacji, tylko ta pradawna kultura koczowniczych plemion mongolskich. Wędrowali po stepie mając przy sobie trochę baranów i wielbłądów, których komunizm nie zdołał wytrzebić, nocowali w jurtach, przemieszkiwali w aułach... W tych warunkach, chcąc zagotować chociażby wodę, należało zacząć od rozgarnięcia popiołu, pod którym schowany był największy stepowy skarb - żar (wygaszenie oznaczało tragedię). Dmuchało się delikatnie i przykładało kawałek drugiego skarbu - wysuszonego bydlęcego łajna znalezionego na stepie, tak zwany kiziak. Obok czekał już na podpalenie stos wysuszonych burzanów i pokruszonych kiziaków. Drzewa jako takiego nie było, najwyższe brzozy rosnące w wiecznej stepowej zmarzlinie osiągały wysokość 60 centymetrów. Po takich przygotowaniach można było wreszcie nastawić garnek z wodą, kawałkiem marchewki, kartoflem z łupinami...

Jak odżywiać się zimą

- Jak odżywiać się zimą? Tak, jak nasi przodkowie, czyli tłusto.

- A cholesterol, a miażdżyca, ojcze Janie?

- Tłusty, energetyczny posiłek musi być zrównoważony. Dawniej w każdym gospodarstwie domowym, kiedy tylko nadeszły mrozy, w kuchni pojawiały się obok siebie: smalec z dużymi, mięsnymi skwarkami przechowywany w kamiennym garnku lub emaliowanym wiaderku i kiszone ogórki w słoju. Smarowało się pajdę razowca, nakładało na to plasterki cebuli, posypywało grubą, szarą, wartościową solą i zagryzało ogórkiem. Oprócz ogórków, dodatkiem równoważącym nadmiar tłuszczu może być także mocny chrzan, który przy okazji likwiduje wirusy, gronkowce i paciorkowce, albo surówka z kiszonej kapusty, do której wtarkowaliśmy uprzednio jabłko, trochę marchwi, cebulę.

Posłodzona do smaku, z dodatkiem oleju z winogron, stać może w lodówce kilka dni. Jeśli taki posiłek wzbogacimy kawą zbożową, osłodzoną miodem lub syropem buraczanym (broń nas Panie Boże przed cukrem!), to organizm jest zabezpieczony na kilka godzin pod względem odżywczym i zdrowotnym, a o cholesterolu możemy zapomnieć.

- **Skąd w dzisiejszych czasach wziąć syrop buraczany?**

- Na samo wspomnienie przełykam ślinkę... Był czas, kiedy ten produkt - obfitujący w kobalt, magnez, żelazo, fruktozę i laktozę, chroniący dzieci przed anemią, kupowało się kankami od wiejskich bab, przepraszam - kobiet. Dziś zniknął z rynku wyparty przez biały rafinowany cukier - chemię niemal w czystej postaci, która każdy dekagram zjedzonego tłuszczu przeobraża w zły cholesterol. Można jednak syrop buraczany wyprodukować w domu.

- **Kto ma do tego serce i czas, ojcze Janie...**

- Jeśli zadamy sobie nieco trudu i zrobimy choćby najmniejszy wyłom w nawykach żywieniowych, które tak zwaną cywilizowaną ludzkość pchają na skraj przepaści - to będzie wielki sukces, od którego - daj Boże - zacznie się inne myślenie. Nie mówię, że musicie zaraz po powrocie z Wrocławia wyprodukować syrop z buraków, ale przepis niech sobie gdzieś na widocznym miejscu spokojnie poczeka: kilkanaście buraków cukrowych, zakupionych na targowisku, dobrze myjemy, obieramy delikatnie i kroimy w drobną kostkę. Wrzucamy do sporego garnka, zalewamy wodą i zostawiamy na kilka godzin na wolnym ogniu (wodę trzeba uzupełniać). Po jakimś czasie z buraków zacznie wydobywać się ciecz początkowo szara, następnie koloru miodu, wreszcie ta właściwa - brunatna jak mocna herbata. Po ostudzeniu zlewamy do butelek lub słoików. Wygotowane buraki z garnka spożywamy po trochu, rozkoszując się naturalnym smakiem, który nasz wymęczony sztucznościami organizm przyjmie jak błogosławieństwo.

Amatorom jeszcze bardziej wyrafinowanych wrażeń smakowych polecam wzbogacenie syropu rumem (na pięć litrów syropu pół litra rumu). Taki eliksir dodany do porannej, dobrze zaparzonej, mocnej herbaty dostarczy nam zasobów energii bez uciekania się do szkodliwej kawy i jeszcze bardziej szkodliwego cukru.

- W żadnym razie nie chcemy denerwować ojca Jana ani też specjalnie bronić naszej dwuznacznej epoki, jednak w pewnej sprawie trzeba jej oddać sprawiedliwość: życie ludzkie wydłużyło się. Jeszcze na początku dwudziestego wieku, w przodującej cywilizacyjnie Anglii, średnia wynosiła nieco ponad 40 lat...

- Rozwój medycyny, masowe szczepienia i postęp w zakresie higieny wyeliminowały wiele chorób zakaźnych. Na przykład, całkowicie wygasła na globie ziemskim czarna ospa. Ostatnie jej ognisko zlikwidowano w latach 60. nie gdzie indziej, jak we Wrocławiu. Zarazem jednak pojawiły się nowe choroby, takie bardziej „na życzenie", związane ze zmianą warunków i stylu życia. Ospa już nie zabija, ale śmiertelne żniwo zbierają miażdżyca tętnic, nowotwory, nadciśnienie, marskość wątroby itd. Zapadalność na te choroby wzrasta i wkrótce może się okazać, że statystyczna średnia życia ludzkiego nie odbiega daleko od tej z początku dwudziestego wieku.

- **Biblia powiada: „Miarą naszych lat jest lat siedemdziesiąt lub, gdy jesteśmy mocni, osiemdziesiąt"...**

- Wygasanie sił żywotnych ludzkiego organizmu, jeśli z premedytacją nie przyśpieszamy tego procesu, zaczyna się w sposób naturalny po stu latach. Tyle mamy przed sobą życia w momencie urodzenia. Ażeby nie roztrwonić tego kapitału, musimy dokonywać dobrych, mądrych wyborów. I to na każdym kroku. Kto żyje nieuważnie, ten ginie przed czasem. Jako medyk nie obserwuję zbyt wielu przypadków śmierci spowodowanej naturalnym wygasaniem organizmu...

Przed dwoma laty byłem na Ukrainie, daleko za Kijowem, i miałem okazję rozmawiać z czerstwym mężczyzną, który ukończył sto pięć lat (jego żona dopiero dobijała do setki), żył i odżywiał się tak jak jego ojciec w XIX wieku. Ani śladu sklerozy, doskonała pamięć, zdrowe myślenie... Zapytałem dziadka - czy słyszał coś o cholesterolu? A tak - odpowiedział - cholesterol to taka zaraza, co tam u was w Polsce dostała się do *sała* (słoniny) i wy jej teraz jeść nie możecie. A na Ukrainie *sało* czyste. Jak ksiądz będziesz do Polski wracał, to ja tobie dam trochę tej naszej słoniny bez cholesterolu...

Uśmiałem się słysząc takie rozumowanie, jednak faktem jest, że w tych rejonach świata, gdzie ludzie nie zerwali jeszcze z dawną tradycją żywieniową, cholesterol można kłaść między bajki...

Chociaż odrobina radości

- Proszę powiedzieć, jaki wpływ na ludzkie zdrowie ma dobra zabawa?

- Znakomity, jeśli jest to zabawa naprawdę dobra, pozwalająca oderwać się od codziennych problemów. W tych naszych trudnych czasach albo gonimy za pracą, albo pracujemy za dużo. Człowiek staje się rozdrażniony, źle przebiegają wszystkie jego procesy fizjologiczne. Dobra zabawa powinna rozładować napięcia. W okresie karnawału niech to będą tańce przy muzyce, niekoniecznie w lokalach. Godne polecenia są składkowe prywatki. Pozwalają dobrze się bawić, a jednocześnie - co ważne - budują więzi rodzinne i przyjacielskie.

- Czy zakonnika może interesować moda? Czy wypada go o to zapytać? Skoro jednak przez klasztorny pokój przyjęć przewija się 50 osób dziennie

(zapewne większość z nich to kobiety), a ojciec Jan jest znakomitym obserwatorem, to pewnie ma swoje zdanie i na ten temat...

- Nie chciałbym za bardzo krytykować, ale dziś mamy do czynienia nie tyle z modą, co z wybrykami mody. Na przykład, pojawiły się niedawno męskie buty o zupełnie zwyrodniałym kształcie. Coś między kaczą płetwą a zdeformowanym kaloszem. W takim karykaturalnym obuwiu chodzi się wszędzie - na koncerty, do teatru, na te jakieś biznesowe - pożal się, Boże - spotkania.

A generalnie, wrocławska ulica jest jedną wielką szarzyzną. Brudne popowodziowe zacieki na murach, szarość ubraniowa, metaliczne zimowe słońce, sine oświetlenie... Skąd organizm ma czerpać energię i optymizm? Nie potrafimy korzystać z lekcji Przedwiecznego, który stworzył świat kipiący barwami. Co tu dużo mówić, wy też przyjechaliście z tego Gdańska w ubraniach bez koloru.

- Za to nie w modnym obuwiu, ojcze Janie...

- Siedziała kiedyś naprzeciwko mnie pacjentka. Obok mąż. Mówi, że nie ma już sił, żona trzeci raz targnęła się na swoje życie. Leki psychotropowe jakoś nie pomagają. Spojrzałem na nią i naraz - aż mnie dreszcz przejął - dotarło do mnie, że ta kobieta niemal jak pająk pajęczyną, zasnuta była szarością. Siwe włosy, szarobiała bluzka, szarobury sweter, w tym samym tonie spódnica. A obok niej, na biurku, stały w wazonie krwistoczerwone róże, które dostałem wcześniej od pacjenta. Kontrast był niesamowity: tu pełna życia roślina, a tu człowiek jak z popiołu. Zareagowałem, nawet jak na mnie, nietypowo. Kazałem jej czekać, męża posłałem do sklepu, by przyniósł coś kolorowego do ubrania... Streszczając powiem tylko, że kobieta w czerwonej bluzce, która opuściła mój klasztorny gabinet, miała już inny wyraz twarzy. W kuracji zaaplikowanej przez starego mnicha była jeszcze dobrze zaparzona, pobudzająca herbata z łyżką rumu z rana (jeśli ktoś nie toleruje rumu, może zamiast takiej herbaty spożywać trzy razy dziennie tuż przed jedzeniem łyżkę wódki koszernej) oraz unikanie kawy, która zakwasza przewód pokarmowy, niszczy magnez i pogłębia nastrój depresyjny. Wizyta zakończyła się zaleceniem, by w drodze do domu kupić doniczkę z czerwoną pelargonią, a w mieszkaniu wszystkie żarówki wymienić na stu- i stupięćdziesięciowatowe.

- A to po co?

- W porze późnojesiennej i zimowej, kiedy dzień jest krótszy o parę godzin, a światło słoneczne przesiane przez chmury dostarcza minimum energii, musimy ratować się sztucznym, bardzo intensywnym oświetleniem. Energia świetlna, działająca poprzez nerwy wzrokowe na szyszynkę, wspiera wytwarzanie serotoniny, która broni nas przed pesymizmem i złymi nastrojami. Zatem żadnych półmroków, żadnych punktowych oświetleń. Mieszkanie ma być rozjarzone światłem, które próbuje zastąpić słońce, a więc powinno spływać z kinkietu mocowanego centralnie na suficie. W takim mieszkaniu nie ma miejsca na zmęczenie psychiczne i nie da rady się w nim pokłócić.

- Ciekawe, czy w syberyjskim dzieciństwie ojca Jana - tułaczym, głodnym i chłodnym - było miejsce na odrobinę radości?

- Pamiętam, jak radowała mnie roślinność kirgiskiego stepu. Na tych przepysznych czarnoziemiach, kiedy tylko ustąpiły śniegi, niemal wybuchało lato, bajecznie kolorowe i pachnące. Był tam cały arsenał ziół i kwiatów, łącznie ze wspaniałymi piwoniami i dzwonkami stepowymi. Bujało to wszystko błyskawicznie w górę, rozwijało się w oczach, ale na krótko. Już w lipcu - spalone słońcem - wysychało i step zmieniał się w pustynię. Syberia była moją pierwszą szkołą ziołolecznictwa. Uczyłem się tam rozpoznawać trawy, mchy i zioła u boku starej zielarki, żony ukraińskiego popa...

Co najważniejsze jednak dla dziecka - była przy mnie matka. Nie powiem nic nowego, ale tam, gdzie jest matka - choćby to był sam koniec świata - tam jest dom. Kobiety dzisiaj jakby nie zdawały sobie sprawy z roli, jaką mają do odegrania w swoich rodzinach i w społeczeństwie...

- No tak, przecież ojciec Jan znany jest ze swojego krytycyzmu wobec współczesnych kobiet...

- Jest takie stare powiedzenie: „Jak baba ugotuje, tak się jej chłop czuje". Chłop, cała rodzina i ona sama. Powtarzam to do znudzenia wszystkim paniom, które przychodzą do mnie po poradę zdrowotną; chwaląc po cichu Boga, że nie jestem żonaty... A jak rozpoznać, czy kobieta mądra jest, czy głupia? Nie po tym, jakie uniwersytety skończyła, ale po tym, co znajduje się w jej kuchni. Mają tam być „wszystkie leki z apteki", czyli produkty, które po ugotowaniu i spożyciu zmienią się w regeneracyjny budulec dla naszych organizmów. Nic wyszukanego, nic drogiego. Najprostsze życiodajne potrawy, które jadali nasi dziadowie i pradziadowie, zachowując zdrowie, siły i dobrą pamięć do późnych lat. Przecież kiedyś nie szło się jak dziś na emeryturę, ale pracowało niemal do końca życia. Dziewięćdziesięciolatek był nadal sprawnym, przydatnym swojej rodzinie i lokalnej społeczności, człowiekiem.

Zupa „przeciw starości"

- Czy proces naprawiania świata może zacząć się w kuchni? Ojciec Jan Grande nie ma wątpliwości co do tego, że wykładnią mądrości danej populacji jest troska o zdrowie, która przecież ma bezpośredni związek z tym, co kładziemy do garnka. Jeśli w polskich domach wysokoprzetworzone, bezwartościowe i drogie produkty zostaną wyparte przez bardziej naturalne, zdrowsze i tańsze, to siłą rzeczy rozpocznie się proces stawiania na nogi tego, co dziś stoi na głowie.... Podzielamy opinię ojca Jana i czerpiąc z własnych obserwacji pytamy o nowy nawyk żywieniowy w Polsce - zupy w proszku.

- W pokoleniu naszych babek taką antyzupę w postaci proszku zamkniętego w płaskiej torebce uznano by za sztuczkę magiczną godną pokazywania jedynie w cyrkach. Nie mam nic przeciwko praktycznym rozwiązaniom żywieniowym, ale od strony zdrowotnej „gorący kubek" jest skandalem. Zawartość sproszkowanej zupy stanowi głównie glutaminian sodu oraz preparaty chemiczne nadające barwę, smak i zapach. Sama sztuczność. Specyfik ten (spożywany zwykle w pośpiechu przez uczącą się lub pracującą młodzież) drażni śluzówki, zwielokrotnia wydzielanie soków żołądkowych, powiększa, a nie łagodzi uczucie głodu. Zdarza się, że powoduje ssące bóle żołądka, jak przy wrzodach. Z czasem może doprowadzić do zapalenia całego traktu jelitowego...

- **No dobrze, ale co w zamian? Czy jest jakiś sposób na błyskawiczną, a zarazem zdrową zupę?**

- Owszem. Wystarczy któregoś dnia zadać sobie trochę trudu i przygotować półprodukt, który bez konserwantów przechowywać można przez dłuższy czas w lodówce. W razie potrzeby przyrządzamy z niego w pięć minut przepyszny barszcz. Produkt ten stanowią upieczone, po uprzednim dokładnym umyciu, czerwone buraki. Pieczemy je, owinięte w folię, na blasze w piekarniku w temperaturze 200 st. aż do miękkości. Studzimy, przechowujemy w lodówce. A kiedy trzeba - dwa, trzy buraki obieramy ze skórki, tarkujemy, zalewamy gorącą, przegotowaną wodą dodając łyżkę oleju, roztarty czosnek, sól, pieprz, kwasek cytrynowy, cukier. W kilka minut mamy wspaniały barszcz o głębokiej czerwonej barwie, do którego można podać ugotowane ziemniaki posypane szczypiorkiem i okraszone świeżym masłem oraz sadzone jajko. Spożywamy pachnący, kolorowy, apetyczny obiad, który odżywi nas nie wyrządzając krzywdy jelitom.

- **W polskich kuchniach zadomowiła się przyprawa o wdzięcznej nazwie** *vegeta*. **Podobnie jak te sproszkowane zupki, ma w swoim składzie głównie glutaminian sodu. Czym ją zastąpić?**

- Dostępnym w każdym sklepie lubczykiem, którym przyprawiamy pod koniec gotowania zupy, sosy, potrawy mięsne i warzywne. Lubczyk jest substancją sokotwórczą, zapobiega zmęczeniu trzustki i wątroby, reguluje poziom kwasowości. A jeśli już, co nie daj Boże, dojdzie do zatrucia glutaminianem sodu, stosujemy jako odtrutkę zioła przeciwzapalne: pół na pół rumianek z nagietkiem, z dodatkiem szałwii i dziurawca, niewielkiej ilości mięty. Pijemy napar kilka razy dziennie. W diecie powinny się wówczas znaleźć lekkie krupniki jęczmienne z jarzynami, w tym dużo utartej na wiórki marchwi. Pomału wprowadzamy kefir, wyrównując tło bakteryjne w przewodzie pokarmowym i jelitach. Można też spożywać ryż na sypko z dużą ilością masła i cynamonu, który działa bakteriobójczo, a zarazem zapobiega zagazowaniu jelit. Tę niezmiernie wartościową potrawę - z dodatkiem miodu - zalecam też osobom zdrowym.

- **O zupach można mówić w nieskończoność. Czy to prawda, że istnieje zupa „przeciw starości", chroniąca przed miażdżycą?**

- Siekamy trzy główki cebuli w kostkę, ścieramy na wiórki trzy marchewki i pół sporego selera, kroimy w drobną kostkę trzy ziemniaki i trzy pietruszki. Wrzucamy do rondla zalewając dwiema szklankami wody. Jako przyprawa służy szczypta kminku i sól. Gotujemy do miękkości, zaprawiając na koniec pełnotłustym mlekiem. Zupa powinna mieć gęstą konsystencję.

Procesom starzenia, które dają o sobie znać w postaci zesztywnienia stawów, zmęczenia mięśni, zapalenia ścięgien, wypadania włosów i kruszenia paznokci zapobiega kolagen - regenerująca żelatynowa substancja, która znajduje się w wywarze z kurzych łapek. Darujmy sobie galaretki i rozmaite żelki, dopóki nie mamy pewności, jaką mączkę zwierzęcą użyto do ich produkcji, ile tam sztucznego barwnika i ekstraktów perfumujących. Natomiast zalecam trzy razy w tygodniu zupę gotowaną na kurzych łapkach - tanią i w bezpieczny sposób uzupełniającą niedobory żelatyny w organizmie.

- **Czy ojciec Jan zna smak i zapach zupy z brukwi?**

- No tak, niektóre potrawy - o wielkich walorach odżywczych - zupełnie wypadły z naszych domowych jadłospisów. Ciekaw jestem, czy nowoczesna kobieta w ogóle wie, jak brukiew wygląda? Przez całe wieki, dopóki nie pojawiły się ziemniaki, była to podstawa żywieniowa w Polsce. Brukiew można dziś nabyć na targowisku za psi grosz i dobrze jest wiedzieć, że nabywamy produkt oczyszczający organizm z toksyn, ułatwiający trawienie, moczopędny, wspierający wątrobę, zapobiegający reumatyzmowi. Można go gryźć na surowo, jak kalarepkę, można przyrządzić gotowaną jarzynkę lub zupę z dodatkiem gęsiej okrasy. Mieszkacie na Pomorzu, gdzie przeniknęła trochę kulinarna kultura Holendrów, rozmiłowanych w gęsinie. Tym, czym u nas smalec, u nich jest okrasa - surowy gęsi tłuszcz dobrze utarty z czosnkiem, solą, majerankiem.

Jak żyć w kryzysie

- Najchętniej, ojcze Janie, poprosilibyśmy o „przepis" na to, jak radzić sobie w czasach gospodarczego regresu... Jak długo człowiek wytrzymać może niedostatek, niedożywienie i brak perspektyw bez uszczerbku na zdrowiu fizycznym i psychicznym?

- Nie dłużej jak 5 lat. Po tym okresie zachodzą nieodwracalne zmiany tak w jednostkowym ludzkim życiu, jak i w życiu społeczeństw. Jestem już w takim wieku, że bardziej zaglądam na „tamtą" stronę, jednak z wielkim niepokojem myślę o przyszłości naszego kraju.

- W pierwszym cyklu „Porad" ojca Grande, pisanym przed pięcioma laty, znalazły się przenikliwe diagnozy i ostrzeżenia, których trafność - niestety - sprawdziła się w całej rozciągłości. Proszę „przepowiedzieć" - jak nam będzie w Unii Europejskiej.

- Za to politykowanie mój poprzedni przeor nieźle zmył mi głowę. Drugi raz mnie nie namówicie...

- A czy my chcemy mówić o polityce? Uchowaj Boże. Chodzi nam przecież o zdrowe życie, o nim mówimy... Polska w tym względzie ma coś do zaoferowania unijnej Europie...

- Jest jeszcze w tym naszym zaniedbanym, zacofanym, brudnym kraju trochę ekologii, o czym świadczą choćby masowo zakładane bociane gniazda, jest tradycyjny obyczaj, jest chrześcijańska kultura nie wchłonięta jeszcze przez odczłowieczającą cywilizację, jest wreszcie jakieś narodowe morale, choć coraz słabsze ze względu na biedę i brak perspektyw, o których zaczęliśmy mówić... To ciekawe, ale obywatele unijnego raju przyjeżdżają po porady do starego wrocławskiego zielarza;   w Polsce, a nie gdzieś w Niemczech czy Holandii, nie w Australii i Kanadzie szukają bonifraterskich leków, których receptury przetrwały przez stulecia w klasztornych zakamarkach.

- Nie możemy jednak napisać, ojcze Janie, że Zachód nie ma rozwiniętego ziołolecznictwa.

- Przeciwnie. Apteki zawalone są preparatami leczniczymi naturalnego pochodzenia w przepięknych opakowaniach. Niektóre z nich włączyliśmy nawet do naszej praktyki medycznej we Wrocławiu. Choćby takie jak produkowaną z alg Pacyfiku, łatwo wchłanialną Spirulinę, Vilcacorę z Ameryki Południowej, czy relaksującą Kava-Root z roślinności Oceanii, którą aplikuję studentom przed egzaminami albo staruszkom po wylewie krwi do mózgu. Chodzi jednak o to, że człowiek sam sobie leków nie zaaplikuje. Musi być ktoś, kto potrafi spojrzeć całościowo na jego organizm, doradzić sposób leczenia, zasugerować pewne zmiany w stylu życia. Obawiam się, że takich fachowców nie ma wielu na Zachodzie.

- Na szczęście w Polsce mamy ojca Grande... Proszę powiedzieć - jaką szansę mają gospodarstwa proekologiczne? Ile lat potrzeba na to, by przywrócić ziemi zdolność rodzenia bez chemii?

- Ziemia oczyszcza się długo, ale przecież na małych areałach, a już na pewno na działkach, można od ręki wprowadzać nawożenie kompostem.

- A co z opryskami?

- Przypomnijmy sobie czasy naszych dziadów, kiedy to jeszcze nikomu nie śniły się opryski chemiczne, a jakoś robak całych zbiorów nie niszczył. Zwalczało się go w naturalny sposób, dbając o obecność kuropatw i bażantów albo stosując określoną „politykę" sadzeniową. Jeśli na przykład, chcemy mieć nienaruszoną marchew, sadzimy ją na przemian z rzędami cebuli. Robak zjadający marchew nie tknie cebuli i odwrotnie. Jeśli chcemy, żeby nam stonka nie niszczyła ziemniaków czy kapusty - to każde poletko obsadzamy rzędami konopi. Rozgrzane słońcem wydzielają intensywny zapach, który nie przepuści stonki ani bielinka...

Czasem rano przy goleniu słyszę w radiu, że znów gdzieś w kraju powstało kolejne gospodarstwo ekologiczne. Każda taka informacja jest na wagę złota, w przeciwieństwie do tych, które dzienniki telewizyjne podają z wielkim szumem jako najważniejsze. Przyszłość rolnictwa powinna należeć nie do molochów sterowanych komputerowo i zależnych od dostaw energii z zewnątrz, ale do gospodarstw niezbyt dużych, samowystarczalnych, naturalnie prowadzonych.

- Na ile ekologiczna jest polska żywność?

- Powiem tak: zdrowotna wartość naszej żywności zależy wprost od uczciwości jej wytwórców. Niestety, w naszym katolickim kraju uczciwości jest coraz mniej. Jeśli mamy w sklepach fałszywy chleb i fałszywe bułki, do których dodano chemiczne spulchniacze i polepszacze (jakaż to polszczyzna, Panie Boże uchowaj!), to nasz przewód pokarmowy jest tak samo narażony jak ręce pracowników piekarnianych molochów, z których skóra poschodziła od chemii. Mądra pani domu powinna zaopatrywać się w pieczywo w niewielkich piekarniach, gdzie chleb pieką jeszcze na drożdżach i zakwasie. Unikajmy też chleba krojonego na gorąco maszyną i zaparzonego w foliowym opakowaniu. Zgaga gwarantowana.

Niedawno pokazało się na rynku masło „osełkowe". Bardzo się nim ucieszyłem. Pachnie prawdziwym masłem, po 24 godzinach zmienia zabarwienie, co dowodzi, że nie utrwalano go chemicznie. Istnieje jednak obawa, że producent nie wytrzyma i za jakiś czas to ekologiczne masło będzie się różniło od innych tylko staropolską nazwą.

Polskie wędliny - powiem dosadnie - w 90 procentach zapoczątkowują raka w organizmach, tyle w nich saletry i mączki kostnej niewiadomego pochodzenia. Dlaczego wędlina po rozkrojeniu ocieka wodą? Bo została sztucznie rozpulchniona, żeby wciągnęła wilgoć i zwiększyła wagę. Podobnie z mięsem. Stanowczo zalecam kupowanie mięsa z uboju wiejskiego. Zamiast tych nieszczęsnych wędlin należy - zwłaszcza w okresie zimy - włączyć do jadłospisu kawałek dobrego boczku obgotowanego w jarzynach, które zjadamy gorące do obiadu. Boczek studzimy i spożywamy na kolację, pokrojony w plastry. Do tego mocny chrzan, chroniący przed wirusami grypy i już nam zimno niestraszne.

Dodam jeszcze, iż gospodarowanie w trudnych czasach powinno odbywać się z ołówkiem w ręku. Podstawą jest tu spisany tygodniowy jadłospis. Pokolenie, które urodziło się po wojnie na pewno pamięta matkę robiącą w zeszycie szczegółowe domowe notatki i rachunki. Zalecam, by obecnie brali w tym udział wszyscy członkowie rodziny, łącznie z dziećmi. Każdy dorzuca własną propozycję do codziennego menu, po czym rozdziela się obowiązki związane z zakupami i gotowaniem. Zaharowana matka jest trochę odciążona, rodzina konsoliduje się, dzieciaki uczą się odpowiedzialności i zrozumienia dla niedostatku.

Uszlachetnij się, Polaku!

- Ojcze Janie, co w pierwszym rzędzie należy ochraniać w kryzysowym czasie?

- Najważniejszy narodowy kapitał, który będzie decydował o życiu przyszłych pokoleń, to zdrowie i rodzina. Można się zastanawiać - co na tym polu zdziałaliśmy w pierwszym wolnościowym 10-leciu? Jakim dziś jesteśmy społeczeństwem? Może to zabrzmi drastycznie, ale bardziej przypominamy skłóconą, wycieńczoną zdrowotnie, zdziczałą hałastrę, która przestała rozumieć o co w życiu chodzi, aniżeli porządne społeczeństwo...

Powinniśmy Bogu dziękować za to, że przetrwaliśmy po tych wszystkich okupacjach i wojnach jako naród o jednolitym języku, scementowany obyczajowo, przynależny wartościom chrześcijańskim, które zbudowały Europę. Dziś wszystko to musimy rozwijać.

Gdyby Polacy mądrze pracowali nad uszlachetnieniem własnych walorów, mogliby z biegiem czasu imponować Zachodowi kulturą obyczajową i duchową. Niestety, Polak rzadko bywa mądry...

Jeśli nie goni nas czas, to opowiem na jaką to opinię zasłużyli sobie polscy zesłańcy w moich wojennych, syberyjskich czasach u prostych tubylców. Modliliśmy się wtedy na stepach, w bardzo malowniczy sposób, znosząc przed obraz Maryi najpiękniejsze kwiaty syberyjskiego lata. Wyznawcy Allacha, wśród których byli Mongołowie, Tadżycy, Uzbecy, Kirgizi podziwiali polską pobożność. Do czasu, kiedy nie spostrzegli, że kłóci się ona z polskim życiem. - Jaki ten Polak durny - mówił jeden z Kirgizów - u niego łeb źle pracuje. Co innego mówi, a co innego robi. Chyba on się modli nie do tego Boga, co trzeba. U nas jak *Ałłah* czegoś zabrania, to się tego nie robi...

- Jeśli jest nam dzisiaj tak ciężko, to pewnie w jakiś sposób sami sobie jesteśmy winni... A lata chude dopiero się tak naprawdę zaczęły. Główne pytanie brzmi - jak je przetrwać?

- Tak jak powiedziałem wcześniej, musimy działać na tyle racjonalnie, by w tej opresji, przypominającej czas powojenny, uchronić zdrowie. Dajmy sobie spokój na dwa, trzy lata z inwestowaniem w artykuły nie pierwszej potrzeby. Bez nowego mebla możemy żyć. Natomiast nie można odłożyć troski o zdrowie, o wzmacnianie sił obronnych organizmu. Jednym z karygodnych nowych nawyków, jakie obserwuje się zwłaszcza w wielkich miastach, jest rozpoczynanie dnia bez śniadania. W naszej strefie klimatycznej śniadanie jest najważniejszym posiłkiem i bezpośrednio wpływa na wydajność pracy. Życzyłbym sobie, by pracodawca - stawiający wymóg niepalenia papierosów - z podobną konsekwencją wymagał od pracownika porządnego najedzenia się przed wyjściem z domu.

- Na to zwykle jest najmniej czasu.

- Śniadanie można podszykować z wieczora. Na przykład, ugotować jajka na miękko, które bardzo dobrze smakują rano zjadane na zimno. Do tego garnek kakao...

- Z nienawistnym kożuchem...

- Nic podobnego. Nie będzie kożuchów, jeśli kakao ugotujemy wieczorem na wodzie, a rano tylko je podgrzejemy dodając pół na pół pełnotłustego mleka wprost z kartonika. Taki napój jest lekko strawny, bogaty w pobudzającą kofeinę i teobrominę, która świetnie wpływa na pamięć, dostarcza witamin z grupy B, witaminy PP i magnezu, o których wiemy, że usposabiają optymistycznie do świata i ludzi. No i do południa załatwiamy mnóstwo spraw, ręce nam się nie pocą, jeden na drugiego wilkiem nie patrzy.

- A kakao gotowane tylko na mleku?

- Popełniamy tu podobny błąd jak przy parzeniu herbaty czy kawy. Zalanie gotującym mlekiem nie wydobędzie z kakao ani właściwego zapachu, ani treści odżywczych. Wystarczy zwrócić uwagę, że mleko kipi już w temperaturze 85-90 stopni, natomiast sproszkowane kakao wrze w temperaturze powyżej 100 stopni, jest bardziej gorące od rosołu, dłużej od niego stygnie. Prawidłowo przyrządzone przypomina płynną czekoladę, w szklance widać charakterystyczną, nie opadającą na dno zawiesinę.

- Czy ojciec Jan zaleca ciepłe śniadania w postaci - dajmy na to - naleśników?

- Żadnej smażeniny. Nasze wątroby bardzo źle radzą sobie z placuszkami ranną porą. Pamiętajmy też o tym, by nie łączyć potraw nabiałowych z mięsem. Najkorzystniej jest spożywać jeden rodzaj białka. Jeśli na śniadanie mamy wędlinę czy krojone zimne mięso, to dodajemy pomidor z cebulką czy ogórek, ale już nie sery, nie jajka. Jeśli spożywamy produkty nabiałowe, to nie mieszamy ich z mięsem. Naturalnie, wędlin nie popijamy kakao, a bardzo mocną herbatą, do której również dodać można pełnotłuste mleko. Ciemna, dobrze wyparzona w czajniczku herbata działa podobnie jak kawa, ale w sposób wysubtelniony, nieszkodliwy, nie uzależniający. W dodatku zapobiega otyłości, czego dowodem są szczupłe sylwetki rozkochanych w herbacie Azjatów.

Nie zapominajmy też o starej, pożywnej strawie porannej jaką są   płatki owsiane gotowane na mleku. Koniecznie z dodatkiem otrębów pszennych, w proporcji: jedna łyżka otrębów na trzy łyżki płatków. W takiej potrawie jest mnóstwo magnezu, wszelkich substancji wzmacniających, leczniczych, oczyszczających.

- Czy w dzisiejszej polskiej kuchni jest miejsce na kozie mleko?

- Osobiście traktuję je jako ciekawostkę kulinarną, która raczej nie zadomowi się w naszych jadłospisach. Mleko kozie - nie przetworzone i nie rozcieńczone -

jest zbyt ciężkie dla ludzkiego organizmu. Fakt, że w czasie wojny i tuż po niej kozy (mówiono na nie *żydowskie krowy*) niejednej rodzinie i niejednemu dziecku zapewniły możliwość przeżycia. Jednak ludziom z naszej strefy klimatycznej nigdy to mleko nie smakowało i nie pachniało. Pamiętam z własnego dzieciństwa, ile się moja matka nacudowała mieszając je z kawą zbożową czy cynamonem, żeby zneutralizować specyficzny zapach...

Czy za sto lat
nie będzie nas...

- Prawdy formułowane przez ojca Jana Grande są z gatunku tych, które wszyscy znamy, tyle, że upływający czas przysypał je kurzem zapomnienia. Nasz rozmówca przypomniał ostatnio, iż zdrowie i rodzina stanowią najważniejszy narodowy kapitał, który będzie decydował o naszej przyszłości. Powiedzmy zatem, jaka jest - wedle obserwacji ojca Jana - kondycja współczesnej polskiej rodziny?

- Nie chciałbym za bardzo krytykować, ale w rodzinie, w której doszło do pomieszania ról i nie wiadomo, kto rządzi - nie może być dobrze. Wśród żydowskich porzekadeł jest i takie, które powiada: dom, podobnie jak stół wspierający się na czterech nogach, wspiera się na czterech węgłach; trzy z nich dźwiga kobieta, jeden - mężczyzna. I nie może być inaczej. Choćby **on** był nie wiedzieć jakim ministrem czy senatorem, w domu rządzi **ona**.

- A jeśli to ona jest ministrem lub senatorem?

- Niełatwo pogodzić ambitną pracę zawodową z życiem rodzinnym. Zwykle jedno dzieje się kosztem drugiego. A już do tragedii dochodzi, kiedy kobieta rezygnuje z rodziny dla pracy. Nawet jeśli ta praca przyniesie jej wielkie pieniądze i publiczne uznanie, wcześniej czy później pojawi się poczucie życiowego niespełnienia i przegranej.

Z drugiej strony jednak logika rozwojowa dzisiejszego świata na pewno nie cofnie kobiety do jej ultratradycyjnej roli. Zmiany osobowościowe zarówno u kobiet, jak i u mężczyzn poszły bardzo daleko, wymieszały się cechy męskie i kobiece, nie bardzo wiadomo - kto dziś pełni jaką rolę. Przypomnę tylko, że zgodnie z zamysłem Przedwiecznego kobieta jest istotą trochę wyżej postawioną od mężczyzny. To w jej genotypie zaszyfrowany został instynkt macierzyńsko-opiekuńczy, który prowadzi do uszlachetniającego osobę ludzką altruizmu.

- Kwadratura koła, ojcze Janie... Trzeba być w domu, ale i w pracy zawodowej, trzeba działać partnersko, ale nie równościowo, trzeba trzymać wszystko w garści, ale i uwzględniać zasady domowej demokracji. Nic dziwnego, że kobiety skarżą się na przeciążenie i przemęczenie.

- Kobiety - zgodnie z dyspozycją Przedwiecznego - są silniejsze od mężczyzn i wytrzymają więcej niż im się wydaje. Gdyby współczesna pani domu, dysponująca prądem, kuchenką gazową, pralką, żelazkiem (nie mówiąc już o takich zbytkach jak zmywarka czy elektryczny magiel) znalazła się w sytuacji jej własnej babki, to pewnie nie dałaby wiary, że „słaba" płeć udźwignąć może takie życiowe ciężary.

Będąc matkami i - odpuść, Boże, staremu mnichowi! - kochankami swoich mężów, kobiety prowadziły dom, prały na tarach, szyły, haftowały, prasowały, dźwigały zakupy, piekły chleby i ciasta, gotowały, pieliły w ogródkach, hodowały kury... Znajdowały dodatkowo czas na modlitwę, na to, żeby pośpiewać, porozmawiać z dziećmi... Mam w pamięci obraz mojej matki, która w najczarniejszym komunizmie siadywała z nami w dziecięcym pokoju i mając ręce ciągle zajęte jakąś robótką, śpiewała. Czy dziś w mieszkaniach słychać kobiecy śpiew?

- Owszem, z radia lub telewizora... Jak zaradzić kobiecemu zmęczeniu i zniechęceniu, ojcze Janie? Nawet młode kobiety żyją jakby z musu, prowadzą dom, ale się nim nie cieszą, chowają dzieci, ale jakoś nie mają do nich serca...

- Pacjentki, zwłaszcza te młode, które przychodzą do mnie po poradę, niemal od drzwi zapytuję o dietę. I z góry wiem, co usłyszę. Nasze panie nie mają pojęcia o tym, że po każdym porodzie ich organizm wytracił ogromne ilości wszelkich życiodajnych składników i jest prawie zamorzony. Nic nie zastąpi w tej sytuacji odpowiedniego pożywienia. W świecie zwierzęcym osłabiony osobnik instynktownie poszuka na łące czy w lesie właściwych składników. Człowiek pierwotny również posiadał tę umiejętność. Dziś, niestety, zasiadamy do stołu nie mając w ogóle wyczucia potrzeb własnego organizmu. Jedzenie kojarzy się albo z przyjemnościami podniebienia, albo z załatwianiem jakiś - pożal się, Boże - procederów biznesowych. Tymczasem Bóg, stwarzając nas z wapnia, żelaza, krzemu, cynku, fosforu, magnezu, kobaltu... wydał zarazem dyspozycję, by szukać w pożywieniu tego samego: idź i dobieraj to, z czego sam jesteś zbudowany!

Jeśli kobieta ma skłonność do depresji, niskie ciśnienie, napadowe bóle głowy, to znaczy, że zabrakło w jej pożywieniu magnezu oraz odpowiedniej ilości witaminy B1. Powinna poszukać ich w jajkach, kaszach, warzywach (z przewagą ciemnozielonych) i owocach. Surówki pojawić się mogą na stole nawet dwa i trzy razy dziennie. Obecnie, w zimowej porze, polecam ogromnie wartościową, dostępną za niewielkie pieniądze czarną rzodkiew. Utarta na tarce, z majonezem czy śmietaną, z dodatkiem jabłka czy cebulki - zamknięta w słoiku - powinna być stale pod ręką. Można ją nawet wieczorem nałożyć na kanapkę.

- Kobiety - może właśnie w odruchu samoobronnym - nie chcą rodzić. Jedno dziecko i stop, program prokreacyjny wyczerpany.

- Jedno dziecko w rodzinie oznacza dla jego rodziców pobyt w domu starców i samotną śmierć.

- Mamy to opublikować, ojcze Janie?

- Najprostsze prawdy najbardziej nami wstrząsają. Naturalnie, nie zawsze jest tak jak powiedziałem. Jednak na pewno więzi, jakie powstają w rodzinach wielodzietnych, różnią się zasadniczo od tych, kiedy wychowuje się jedynaka. Jeśli jest jedno dziecko, to skupia się na nim całe zainteresowanie rodziców, cały ogrom ich oczekiwań. Ma być najzdolniejsze, najinteligentniejsze, najlepiej wykształcone. Stanowi to tak wielkie obciążenie psychiczne, że dzieciak w obronie własnej buntuje się i stawia opór. Często naturalną miłość do rodziców zastępuje nienawiścią i chęcią zerwania wszelkich więzów. Rodzice na starość zostają sami.

Dodatkowym dowodem na to, że jedynactwo okalecza, są dane statystyczne, wedle których ta grupa ludzi wykazuje najmniejszą zdolność do zakładania własnych rodzin i posiadania dzieci. A demografowie biją na alarm. W Polsce od kilkunastu lat pogłębia się spadek urodzeń i już nie stać nas na ilościowe odtwarzanie kolejnych generacji. Jeśli utrzyma się ta tendencja - to po roku 2100 polska populacja zmniejszy się o połowę. Aż strach o tym pomyśleć.

Święta po polsku

- **Tym razem przyjechaliśmy do Wrocławia z misją specjalną. W przededniu Wigilii Czytelnicy oczekują od ojca Jana „wstrząsająco prostych przepisów na zdrowe święta".**

- Zacznijmy od tego, żeby przełamać wreszcie w Polsce pewną niedobrą tradycję. Otóż, jeśli wybieramy się na święta do rodziny, by spędzić je - ku większej chwale Bożej - wspólnie, to zróbmy to prawdziwie po chrześcijańsku. Pewnie, że najprościej jest zwalić się starej ciotce czy matce na głowę, pozwolić się obsłużyć i wyjechać. Jednak w dzisiejszych chudych czasach tradycja spotkań rodzinnych musi być wsparta wspólnym wysiłkiem i wspólnymi wydatkami. Jadąc do bliskich zabieramy naszykowane wcześniej w domu ciasta, pieczone mięsa, kiełbasy; w osobną torebkę sypiemy orzechów, jabłek, łakoci i dopiero wtedy możemy zacząć myśleć o zacieśnianiu więzi rodzinnych.

Kolejnym fatalnym nawykiem jest świąteczne obżarstwo. Organizm przeładowany wielką ilością źle dobranych składników, zapijanych nie najlepszym alkoholem, choruje potem przez miesiąc.

- Przypomnijmy, jakie to dwanaście potraw na pamiątkę dwunastu apostołów powinno znaleźć się na wigilijnych stołach. Pewnie najbliższe sercu ojca Jana są tradycje kresowe, z przesławnym barszczem z uszkami.

- Na wschodzie Polski, Litwie, Ukrainie, Białorusi najważniejszą potrawą nie był barszcz, ale kutia. Przyrządza się ją z łuszczonej, obtłuczonej pszenicy (jest dostępna na targowiskach), którą należy namoczyć, a następnie dosyć długo gotować na małym ogniu. Jałowo, bez soli i cukru. Kiedy zacznie pęcznieć - dodajemy trochę świeżego masła, żeby nie pękała. Równolegle przygotowujemy mak, uprzednio dobrze wymoczony. Przepuszczamy go dwukrotnie przez maszynkę do mięsa, po czym jeszcze dobrze ucieramy w makutrze. Mak nie utarty nie ma żadnych walorów smakowo-zapachowych. Dodajemy gorący miód i i lekko sparzone rodzynki. Mieszamy wszystko z ugotowaną pszenicą, formujemy jak babkę, na wierzchu możemy ułożyć rozetkę z łuskanych włoskich orzechów i migdałów. Nabiera się tę potrawę dużą łyżką.

- Ciekawe, czy kutia sięga czasów prasłowiańskich?

- Być może było to jakieś danie rytualne, może rodzaj prachleba?...

Tradycyjne składniki pokarmów wigilijnych mają swój głęboki sens. Na przykład mak, tak szeroko używany do ciast, kutii, makiełek podnosi nastrój biesiadników ze względu na swoje działanie leciutko halucynogenne, rozładowujące napięcia.

Orzechy, bez których nie może się obejść żadna Wigilia, mają ogromne znaczenie zdrowotne, a także uzupełniają niedobory w organizmie. Orzech jest wszechstronną substancją, zawiera tłuszcz i białko, przepełniają go witaminy, mikroelementy, biopierwiastki. Nie można jednak jeść orzechów zbyt świeżych, jeszcze wilgotnych.

Po kutii na stołach ukraińskich czy białoruskich (myślę, że ta tradycja dominuje w bardzo wymieszanej współczesności) pojawiał się barszcz czerwony z uszkami.

- Na kwaszonych burakach?

- Otóż, nie. Akurat tego nie zalecam. Buraki nastawione na kwaszenie z dodatkiem razowego chleba pokrywają się warstwą pleśni, w której znajdują się zjadliwe rakotwórcze grzybki. Zalecam barszcz na burakach, które pieczemy kilka dni przed Wigilią w temperaturze ok. 250 st. przez pół godziny. Po ostygnięciu przechowujemy w lodówce, a na Wigilię tarkujemy, zalewamy przegotowaną wodą, dodajemy ząbek czosnku utarty z solą, trochę kwasku cytrynowego, cukier, łyżkę oleju.

Uszka robimy z ciasta pierogowego (tylko mąka i gorąca woda, może być odrobina mleka), nadziewanego gotowanymi, przepuszczonymi przez maszynkę grzybami z dodatkiem cebuli.

Wybitnie smacznym dodatkiem do barszczu jest kulebiak litewskiego pochodzenia. Przygotowujemy go z ciasta drożdżowego, nadziewanego farszem z kapusty lub kapusty z grzybami. Są to po prostu duże drożdżowe pieczone pierogi.

- Co robić, żeby ciasto na nich nie pękało i nie kruszyło się?

- Na każdy kilogram mąki należy wsypać trzy łyżki mąki ziemniaczanej. A podczas wyrabiania, kiedy rozczyniane na mleku z drożdżami ciasto już nieźle wyrośnie, wklepujemy w nie pół kostki masła. Będzie pulchne, kruche, ale nie łamliwe.

Po barszczu możemy podać fasolę Jaś ugotowaną na sucho z masłem.

Czwarta i piąta potrawa to ryby. Najważniejszy z nich jest karp. Pieczemy go na oleju (panierując w mące i jajku), kilka godzin przed kolacją i podajemy po podgrzaniu. Organizm najlepiej toleruje rybę, która zdążyła wcześniej ostygnąć i stężeć. Zbyt świeżo upieczona ma nieprzyjemną galaretowatą konsystencję jakby ciągle jeszcze żywej ryby.

Po karpiu - albo zamiast niego - może być szczupak w galarecie, a następnie śledź w oleju z cebulką.

- Albo w śmietanie.

- Otóż nie. Śmietana jest daniem niepostnym, a więc nie stosujemy jej na Wigilię.

- Przy którym to już jesteśmy daniu? Szóstym czy siódmym?

- Rygor dwunastu potraw traktujemy symbolicznie. W regionach zachodnich po rybach podawano gotowane grzyby w sosie mącznym z ziemniakami, a na wschodzie, bliżej Ukrainy, stawiano na stole zapiekaną kapustę. W innych regionach Polski podaje się kapustę z fasolą lub grochem.

- Na tym etapie, ojcze Janie, luzujemy zwykle wszystko co się da w okolicach brzucha.

- Potrawy wigilijne są dość ciężko strawne i wzdymające. Dlatego jako zielarz polecam, aby na stole stała podczas wieczerzy w estetycznym kryształowym dzbanku herbatka ziołowa z mięty, odrobiny melisy, dziurawca, kminku, koperku włoskiego. Nie słodzona.

- Wszystko co dobre ma swój finał i chyba - proszę ojca - widać już koniec naszych wigilijnych przysmaków.

- W tym momencie możemy podać lekkie czerwone wino (ciężkie wina rozcieńczamy niegazowaną wodą mineralną w proporcji 1:1) oraz postne ciasta.

- To istnieją ciasta niepostne?

- Naturalnie. Na Wigilię podajemy wyłącznie ciasta drożdżowe (znakomite są drożdżowe racuchy z rodzynkami) i makowce. Wszystkie inne, w których są jajka, masło, śmietana, kremy - zachowujemy na pierwszy i drugi dzień świąt.

Objedzeni, trochę rozleniwieni - powinniśmy teraz śpiewać kolędy przy pięknie ubranej, pachnącej lasem choince.

- Sztuczna nie pachnie.

- Sztuczna choinka jest zaprzeczeniem świątecznego nastroju. Nie zdajemy sobie sprawy z tego, że eteryczne olejki świerku czy sosny zabijają bakterie w mieszkaniu. Osobiście, przepadam za sosną w domu. Nie zgubi ani jednej szpilki aż do lutego, a pachnie oszałamiająco.

Święta krzepią

- **Nie wyczerpaliśmy wielkiego tematu świąt. Na pewno ojciec Jan ma jeszcze wiele ciekawego do powiedzenia.**

- Warto wspomnieć tak zwany *karawaj*, ciasto rodzinne. Na wschodzie piecze się je po dziś dzień. Z białego, maślanego ciasta drożdżowego, wymieszanego z rodzynkami, formuje się dużą bułkę, do której każdy członek rodziny przykleja kukiełki, ptaszki, ozdoby według własnego pomysłu. Dzieciaki aż piszczą z uciechy, a potem nie mogą się doczekać, kiedy ich laleczki czy ptaszki wyjadą z piekarnika. Przed pieczeniem smaruje się całą konstrukcję białkiem. Na rosyjskim wschodzie takie ciasto występuje również na weselach i dożynkach, a jego geneza sięga staropogańskiego święta plonów. Tak więc nasze wigilijne ucztowanie zakończyć możemy łamaniem (a nie krajaniem) białego, puszystego, lekko strawnego *karawaja*.

- Czy śpiewanie kolęd - prócz swojego sensu właściwego - ma także sens zdrowotny?

- Proste stare kolędy, których nikt się nie uczy, ale jakoś wszyscy je znają, potrafią ukoić, rozradować i pokrzepić serca. Człowiek czuje się tak, jakby przysiadł zimną nocą przy ognisku.

- Czarodziejska noc wigilijna: zwierzęta mówią, ludzie śpiewają własnym głosem... Telewizor milczy...

- Żadna elektronika i sztuczne produkty nowej neopogańskiej kultury nie licują ze świętem zjawienia się Odkupiciela. Zamiast w telewizor, wpatrujemy się podczas świąt w żywe światło płonących świec. Obowiązkowa jest na stole wigilijnym zapalona świeca i choćby mała, symboliczna, płonąca świeczka na choince. Starajmy się, by były to świece z wosku zebranego przez nasze pracowite - jak je nazywał Zagłoba - muchy Boże. Wosk daje specyficzny zapach i nie męczący wzroku, równy płomień... Zapalona świeca (uważam ją za największy wynalazek ludzkości) trzyma straże przed ciemnością i zwątpieniem, jej płomień symbolizuje miłość, pamięć, trwanie. Komu zapalają na grobie świeczkę, ten jeszcze do końca nie umarł.

- W pierwsze i drugie święto pojawia się na stołach pieczyste we wszelkich możliwych postaciach. Jaka jest ulubiona mięsna potrawa ojca Jana?

- Polecam, nie tylko na święta, karkówkę upieczoną w jarzynach, którą spożywać można na gorąco i na zimno bez obawy o cholesterol. Wlewamy na dno brytfanny dwie łyżki oleju, kładziemy kilka cienkich plastrów słoniny, na nie sparzone liście kapusty i karkówkę w całości. Obkładamy ją pociętymi w plastry warzywami: marchwią, cebulą, ziemniakami. Można dodać jabłka obrane z łupiny, pocięte na ćwiartki. Wszystko to należy posypać pieprzem i cynamonem, dodać jagody jałowca, piec pod przykryciem. W trakcie pieczenia wlać szklankę białego wina. Zapach będzie taki, że poczują go sąsiedzi z najwyższego piętra.

W podobny sposób przyrządzić można białą kiełbasę, którą dodatkowo po upieczeniu w jarzynach smarujemy łagodnym ketchupem i ponownie krótko zapiekamy.

Inną, bardzo przyjemną potrawą na święta, jest golonka na chłodno. Gotujemy ją dość długo, żeby nabrała lepkości, odejmujemy mięso od kości, kroimy i układamy warstwami, najlepiej w wysokich, niewielkich foremkach, takich jak do pieczenia pierników. Nie zalewamy wywarem, który posłuży nam do ugotowania krakowskiego kapuśniaku. Golonka po schłodzeniu, najlepiej następnego dnia, ma ścisłą konsystencję i doskonale nadaje się na przekąskę, zwłaszcza na tak zwanych zakrapianych przyjęciach, Panie Boże, odpuść!

- **Spotkamy się na kolejnych rozmowach już w nowym roku, ojcze Janie. Życząc zdrowia, zapytamy jeszcze o zwyczaje noworoczne, te mniej znane lub całkiem zapomniane.**

- Mało kto już dziś pamięta piękną, wywiedzioną z Podhala tradycję, którą nazywano „nowe lato", a która przetrwała tylko w pojedynczych rodach góralskich. W pierwszy dzień nowego roku rodzice chrzestni wybierali się z odwiedzinami do swojego syna lub córki chrzestnej. Składali życzenia, wręczali drobny upominek. Zachował się nawet w tradycji ludowej przepis na specjalny rodzaj ciasta pieczonego z tej okazji. Dzisiaj, kiedy nie bardzo wiadomo, na czym właściwie polegają obowiązki chrzestnych, odświeżenie i upowszechnienie tego obyczaju byłoby bardzo wskazane. Naturalnie pod warunkiem, że chrzestnych nie zwali z nóg potężny atak posylwestrowego kaca...

- **Skądinąd wiemy, że i na to jest u ojca Jana praktyczna rada.**

- Jeśli już Polak musi wypić tyle alkoholu, że odwodni organizm i wytraci zapasy magnezu, to powinien zaaplikować sobie po nocy sylwestrowej dwa jajka na miękko, popić je dużym kubkiem kakao, a po chwili - szklanką soku z kiszonej kapusty. Życzę jednak, abyśmy umieli zachować umiar i zdrowy rozsądek przed szkodą...

O zmęczeniu, komputerze i kapitalizmie

- Jak walczyć ze zmęczeniem, ojcze Janie?

- Nie powiem nic takiego, czego byście do tej pory już nie słyszeli. Właściwe odżywianie, dostarczanie magnezu, witamin z grupy B (ich kopalnią jest chleb z grubego przemiału, pieczony tradycyjnie na zakwasie), kwasu foliowego, który wspiera witaminy w procesie odradzania organizmu - bronią nas także przed zmęczeniem

- Nowym elementem jest ten kwas foliowy...

- Od czasu do czasu zalecam moim pacjentom kapsułki kwasu foliowego, ponieważ z pożywieniem - przy dzisiejszym obrażaniu się na wątróbki, jajka i czerwone mięso - pobieramy go niewiele...

Zmęczenie i jakiś rodzaj ponurego przygnębienia jest dziś sprawą powszechną. Mamy wolność i wielki smutek na twarzach. Jakby ten kapitalizm nie chciał spełniać oczekiwań...

- Ile godzin dziennie, bez uszczerbku dla zdrowia, można spędzać przy komputerze?

- Nie więcej jak cztery. Kto przesiaduje przed monitorem po osiem godzin lub więcej skraca sobie życie o parę lat. Przede wszystkim - słabnie wzrok. Nerwy wzrokowe, kiedy to w wielkim napięciu koncentrujemy się na drgającym ekranie, mszczą się na przysadce mózgowej. Nienaturalna jest pozycja ciała z głową wysuniętą do przodu . Usztywniają się mięśnie grzbietu i barków (w inny sposób niż przy czytaniu książki) blokując swobodę krążenia ustrojowego, nogi przygięte pod krzesłem blokują przepływy żylne. Pod wieczór mamy bóle kręgosłupa, obrzęknięte kostki, pesymistyczny nastrój, bo dodatkowo przy komputerze następuje szybkie zmęczenie psychiczne. Zalecam stanowczo robienie przerw, łącznie z krótkim spacerem na świeżym powietrzu.

- Na takim spacerze, jeśli przeliczymy czas jego trwania na pieniądze, nasz nastrój może się jeszcze pogorszyć.

- Polakom kapitalizm w jego starym, zachodnim, pazernym wydaniu tak pasuje, jak kiedyś pasował komunizm, Panie Boże, odpuść! Nie wolno nam dopuścić, by w pościgu za pieniądzem zagłuszony został w człowieku głos natury. Naturalną rzeczą jest przemienny rytm pracy i odpoczynku. Każdy dzień ma być tak zaplanowany, by można było w nim znaleźć cztery godziny wolnego czasu dla siebie.

- A jak to wygląda - jeśli wolno zapytać - od strony praktyki życia klasztornego?

- Bywa, że po całym dniu przyjmowania pacjentów i wysłuchiwania ich nieszczęść jestem tak skonany, jakby mi ktoś nałożył na plecy dwupudowy worek. Pojawia się nawet jakaś niekontrolowana pretensja do Pana Boga... Przypomina mi to pewne zdarzenie. Otóż kiedyś, właśnie w takim dniu, kiedy już zamykałem gabinet, dopadło mnie starsze małżeństwo. Szczególnie napastliwa była kobieta, taka babina w chusteczce zawiązanej pod brodą. - W żadnym razie dziś państwa nie przyjmę, przyjdźcie jutro - mówię. - A ot - słyszę w odpowiedzi wschodnie zaciąganie - nieładnie ksiądz mówisz. My od Białegostoku jesteśmy, dowiedzieli się, że we Wrocławiu jest taki medyk i przyjechali. Ksiądz musisz nas przyjąć.

- Nie ma mowy, zbyt jestem zmęczony.

- Zmęczył się, to się zmęczył, ale przecież nie sam od siebie - powiada babina. - A cóż to znowu za filozofia? - pytam ją. - U nas, w białostockim, to tak mówią, że człowiek sam od siebie nic nie znaczy. I jego zmęczenie samo od siebie też nic nie znaczy. A ty ksiądz to też nie sam pomagasz ludziom... - Co też pani wygaduje? - U nas powiadają, że Bóg nie mogąc zleźć z nieba, podbiera sobie takich, przez których ludziom pomaga, ich rękami żar zagrzebując. Tak i dobrze byłoby, żebyś ty w Jego Imieniu jeszcze nas dzisiaj przyjął.

No i przyjąłem ich, a nawet, wbrew klasztornym zwyczajom, o 22. w nocy otworzyliśmy aptekę, żeby wydać leki. Tak to mnie, starego mnicha, białostocka babcia chrześcijańskiego rozumu uczyła.

- Ojcze Janie, podsłuchaliśmy (całkiem niechcący) na korytarzu szpitalnym rozmowę, w której pojawiła się egzotyczna nazwa *mumijo*. Ponoć jest to

medykament o niezwykłej skuteczności w chorobach skórnych.

- Odkrywamy dzisiaj na nowo środki lecznicze, które dobrze znała starożytność. Czerwień żelazowa *mumijo* jest wydzieliną skał bazaltowych, która Babilończykom służyła jako lek, a w Egipcie zanurzano w jej roztworze bandaże i owijano nimi zmarłych przy mumifikacji (mumia znaczy tyle, co wiecznie żywy). Substancja, o którą pytacie, nie jest jeszcze do końca rozpoznana przez współczesną naukę. Wyglądem przypomina ciemnobrunatną glinę, lepką, mięknącą w cieple rąk. Ma smolny zapach, gorzki smak, rozpuszcza się w wodzie.

W obecnych czasach dość powszechnie stosuje się *mumijo* jako środek leczniczo-wzmacniający na terenie Tadżykistanu, Taszkientu i na Kaukazie, gdzie przepis ludowy dawkę dzienną do zażywania wewnętrznego określa wielkością pszenicznego ziarna.

- Jakie jest miejsce *mumijo* w medycynie bonifratrów? Jeśli to nie sekret...

- Głównie w trudnych przypadkach dermatologicznych - zropiałych, zapaskudzonych, nie gojących się ranach. Dodajemy też *mumijo* do bonifraterskiej maści przeciw pękaniu skóry. Medykament ten stosować można przy oparzeniach, ropnym wycieku z ucha, paradontozie, wrzodach żołądka, marskości wątroby, hemoroidach... Wystarczy. Nie będziemy przecież leczyć ludzi przez gazetę.

A jeśli już mówimy o problemach skórnych, to moją uwagę zwróciły ostatnio badania prowadzone w Ameryce nad przydatnością piołunu przy zwalczaniu raka skóry. Wyciąg z tej rośliny, którą dobrze pamiętam z moich syberyjskich lat, działa obkurczająco na komórki raka i może okazać się, że jest to doskonałe antidotum.

- Z pewnym niepokojem zauważamy, drogi ojcze, że dawno nie proponowaliśmy naszym Czytelnikom przepisu na kolejne z serii prostych, tanich i odżywczych dań á la ojciec Grande.

- Zwrócę uwagę nie tyle na konkretny przepis, co na zawartość jarzyn w polskich zupach. Nie wiadomo czemu nasze gospodynie tak bardzo oszczędzają na włoszczyźnie, podczas kiedy jest ona źródłem życiodajnych witamin, działa antycholesterolowo, antyartretycznie, oczyszczająco. Pietruszka wypędzi z organizmu zalegający kwas moczowy, zneutralizuje kamicę nerkowo-wątrobową. Marchew jest silnym środkiem wykrztuśnym, przeciwspastycznym (trzy marchwie na wieczór ugotowane z łyżeczką masła zneutralizują bóle miesięczne u kobiet, kolkę jelitową u dzieci i staruszków), a B-karoten, który wątroba momentalnie przerabia na witaminę A, zablokuje starzenie się śluzówek w całym organizmie. Seler jest delikatnym afrodyzjakiem... Tak więc w każdej zupie, łącznie z rosołem, ma być tyle marchewek ile osób zasiada do stołu, dwie solidne pietruszki oraz cały seler wielkości dużego jabłka. Jarzyny grubo tarkujemy, a nie kroimy. Wiórki szybko się ugotują, a tym samym nie stracą wartościowych witamin.

Dlaczego jabłka nie pachną

- Zdumiewające, jak wiele widać z perspektywy małego, pachnącego ziołami klasztornego gabinetu... W polu obserwacji ojca Jana znajduje się też młodzież. Czy będziemy mieli z niej w przyszłości pociechę? Kiedyś, w oświeceniowej Polsce powstała ponadczasowa maksyma: *„Takie będą Rzeczypospolite, jakie naszej młodzieży chowanie"*.

- Módlmy się wobec tego o przyszłość obecnej Rzeczypospolitej, bo dzisiejsze wychowanie przynieść może fatalne owoce. Niestety, wychowujemy pasożytniczą młodzież, która niszczy stare pokolenia. Przestaje być wyjątkiem nerwica lękowa na tle własnych, dorastających dzieci. Nieraz mam okazję przyjmować u siebie całe rodziny i widzę te zastraszone matki w biednych paltotach, a obok córki - wymalowane, na koturnach jak greckie boginki, w opiętych aksamitnych portkach i koniecznie z odsłoniętym pępkiem... Matka ma 670 złotych renty, ledwie wiąże koniec z końcem, ale córka do pracy nie pójdzie, bo właśnie wybiera się na kolejny ekskluzywny kurs podyplomowy...

- Wiedzy nigdy nie dość, ojcze Janie.

- Zdobywaniu wiedzy musi towarzyszyć kształtowanie charakterów i uczenie odpowiedzialności za innych. Harmonijny rozwój człowieka to coś więcej niż ładowanie głów abstrakcyjną wiedzą, która - dawkowana w nadmiarze - potrafi nawet okaleczyć młodą psychikę. Ileż to mamy naukowców wysokich specjalizacji, którzy kompletnie nie potrafią żyć. Wiedza ma być dla człowieka, a nie odwrotnie.

Moje pokolenie pamięta jeszcze czasy kształcenia klasycznego. Maturzysta kończący szkołę był wszechstronnie przygotowany do życia, znał starożytną historię, grekę, łacinę, porozumiewał się praktycznie po francusku i niemiecku, interesował się światem, można było z nim każdy temat poruszać. A przy tym był człowiekiem w pełni odpowiedzialnym, szanującym starsze pokolenia, wrażliwym moralnie...

- Czasem - tęskniąc za minioną młodością - idealizujemy jej obraz, drogi ojcze...

- Moja diagnoza nie jest tylko marudzeniem klasztornego dziadka. Zachodnie społeczeństwa zbierają już owoce wychowania opartego wyłącznie o osiągnięcia nowoczesnej psychologii. Jak świat światem, przez setki i tysiące lat wychowywanie polegało na tym, że stawiało się dziecku wymagania, trzymało je w ryzach, formowało jego rozwichrzoną naturę. Dziś odwrotnie -

schlebia się niedojrzałej dziecięcej naturze, przygina się metody wychowawcze do jej potrzeb i nie wiedzieć kiedy wyrasta nam pod bokiem szkodliwy społecznie egocentryk.

A z drugiej politycznej strony patrząc, przez dziesiątki lat komunizmu wmawiano nam, że dziecko lepiej wychowają instytucje państwowe aniżeli dom. No i mamy dzisiaj w Rosji zdziczałe społeczeństwo z osiemdziesięcioma procentami rozbitych rodzin.

Ojca i matki, którymi dzieciak nasiąka od kołyski, nie zastąpi szkoła, nie zastąpi kościół. I tu ponownie zmuszony jestem apelować do kobiet - nawet jeśli pracują zawodowo (a może zwłaszcza wtedy), powinny tak organizować domowe zajęcia, by wciągać w nie dzieci. Niech już ta siedmioletnia dziewczynka kręci się po kuchni, podaje matce talerze, a podrośnięty chłopak niech przynosi zakupy, obiera ziemniaki. W sobotę wszyscy powinni znaleźć czas, by wspólnie przedyskutować jadłospis na następny tydzień, spisać go na kartce i przypiąć gdzieś na widocznym miejscu. Zaplanowane wydatki i podział obowiązków między wszystkich członków rodziny są najprostszym sposobem na to, by ją jednoczyć i umacniać.

- Czy zakończymy ten apel mocnym syberyjskim akcentem?

- Miałem sześć lat, kiedy dopadły mnie obowiązki, które spełniałem wiedząc, ile od nich zależy. Jeśli, na przykład, przyniosłem nie dość opału, było zimno mnie i moim kobietom - matce i siostrze. Syberia błyskawicznie robiła z dzieciaka mężczyznę - samodzielnego, odpowiedzialnego za innych, odpornego na trudy i zmęczenie. A i potem, po powrocie do Polski, kiedy matka całymi dniami harowała na nasze utrzymanie, chodząc do szkoły prowadziłem z siostrą dom - prałem, sprzątałem, gotowałem, prasowałem, szyłem, umiałem nawet szydełkować i robić swetry na drutach.

- **Czas rozmowy umyka, a jeszcze nic dziś nie powiedzieliśmy o żywieniu. Ciągle mamy zimę, częściej burą niż białą... Czy dobrze jest w tej porze roku urozmaicać nasze jadłospisy złocistymi owocami południa?**

- Otóż, nie. System żywieniowy człowieka przypisany jest do miejsca jego urodzenia i tradycji kulinarnej. Polskie jabłko, które ciągnie soki z tej samej ziemi, z której pochodzimy, odżywi nas najlepiej. Pamiętam jeszcze czasy, kiedy takie jabłko pachniało na cały pokój. Dziś młodzi ludzie znają ten zapach, bo myją głowy w szamponie „Zielone jabłuszko". Tak oto rozwinięta kultura konsumpcyjna głupkowato przedrzeźnia naturę. Ale nie chcę się denerwować...

- **Dlaczego jednak jabłka nie pachną?**

- Ma to związek z nowoczesnym sadownictwem, które wprowadziło niskopienne drzewka z owocem na wysokości ludzkiego oka. Ostatnio naukowcy na Zachodzie badają wpływ, jaki na proces dojrzewania ma wysokość drzewa czy krzewu. No i okazuje się, że ogromny. Inne od naturalnego nasłonecznienie daje twardą skórę, cierpkie, mało soczyste, niezbyt pachnące owoce.

- **To może jednak wzbogacać naszą dietę owocami południowymi?**

- Polak powinien wreszcie zacząć logicznie rozumować. Jeśli pomarańcze dojrzewają w ciepłym klimacie, to znaczy, że u nas właściwą porą do ich spożywania jest lato. Dlaczego? Bo spożywanie owoców południowych schładza organizm. Pamarańcza, broniąc się przed nadmiarem gorąca, po pierwsze przybiera barwę ochronną taką jak promienie słoneczne, a po drugie produkuje dla własnego ocalenia wyziębiający sok.

Nie mówię już nawet o tym, że cytrusy, które kupujemy w Polsce, dojrzewają sztucznie. Zrywa się je w fazie rośnięcia, ciemnozielone, twarde jak kamyki i pakuje w ciemnych workach na całe miesiące do dojrzewalni.

Trzymajmy się zatem tego, co rodzi nasza ziemia: jabłek, śliwek, gruszek, truskawek (w okresie zimy sięgając po mrożonki owocowe, susz, gotowe kompoty), a owoce innej strefy klimatycznej niech będą tylko marginalną kulinarną ciekawostką.

Post i zdrowie

- Prawdziwy post - powiadał prawie trzy tysiące lat temu prorok Izajasz - znaczy tyle co: „... dzielić swój chleb z głodnym, wprowadzić w dom biednych tułaczy, nagiego, którego ujrzysz, przyodziać i nie odwrócić się od współziomków".

- Prorok mówi o przemianie serca i poprawie własnego postępowania, nierozerwalnie złączonych z postem. Ja natomiast mogę mówić jedynie o jego stronie zdrowotnej. Post przygotowuje organizmy do wiosenno-letniej aktywności, oczyszcza, reguluje przemianę materii, pobudza do samoodradzania. Występuje od tysięcy lat we wszystkich ludzkich kulturach i religiach. Nawet jeśli ktoś jest osobą niewierzącą, nie powinien przez okrągły rok, bez względu na porę, odżywiać się wciąż tak samo i najadać do syta. W zimie i na przednówku jadamy ciężko: grochówki, fasolówki, dużo wieprzowiny, wołowiny, baraniny, pyzy mięsne polane tłuszczem, smalec ze skwarkami itd. Po tym okresie przychodzi czas postu, wypalania nadmiaru kalorii, wymiatania niestrawionych resztek. Nie zaszkodzi, jeśli w okresie poprzedzającym święta wielkanocne zrzucimy parę kilogramów. Ograniczona ilość dostarczanego z zewnątrz pożywienia powoduje, że organizm uruchamia odżywianie wewnętrzne i nawet potrafi tą drogą wyleczyć niejedną chorobę.

- Jak jednak powstrzymywać się od jedzenia? W głodówkach odchudzających stosowane są specyfiki, które zagłuszają uczucie głodu...

- Nie polecam. Żołądek, wypełniony pęczniejącym, pustym kalorycznie materiałem, raz i drugi da się oszukać, w końcu jednak i tak upomni się o swoje. Niektóre panie po takim odchudzaniu przybierały na wadze.

Nie szukajmy więc niczego innego poza własną silną wolą. Przy czym ograniczenia ilościowe też muszą być rozsądne, nikt nie wymaga od nas wyczynowej ascezy. Jeśli, dajmy na to, dotychczas nakładaliśmy na talerz 4 ziemniaki, w okresie postu nałóżmy 2, do tego mniejszy niż zazwyczaj kawałek mięsa, połowę zwyczajowej porcji ciasta itd. Układ trawienny przyzwyczai się do zmniejszonych racji i uczucie głodu po kilku dniach zniknie.

Warto też przypomnieć sobie, że w przeszłości w naszej części Europy przestrzegano dość surowego reżimu jedzeniowego. Nie było zwyczaju objadania się i to zarówno w warstwach biedniejszych, jak i bogatszych. Nasi przodkowie mieli taką trochę wilczą dietę, która hartowała i pomagała przetrwać niejeden ciężki czas.

- Oczyszczający głód wielkopostny doczekał się w naszych czasach konkurencji w postaci naukowo opracowanych diet oczyszczająco-odtruwających (zwłaszcza nerki i wątrobę), modnych szczególnie w Stanach Zjednoczonych.

- Jest to jakaś nowa forma naukowego idiotyzmu. Człowiek współczesny ciągle próbuje Pana Boga w czymś poprawić. Tymczasem nasze organizmy są pod każdym względem doskonałe. Przedwieczny jako Stwórca niczego nie spartaczył. Zaordynował nam wzorcowy wręcz system oczyszczający, na który składa się rafineria wątrobowa, oczyszczalnia ścieków w postaci nerek, wreszcie jelito grube z odbytnicą. Jeśli to wszystko właściwie funkcjonuje - wątroba oddziela toksyny i przekazuje je do nerek (zachowując te substancje, które przetworzone w materiał regenerujący wracają do organizmu), jeśli nerki po przefiltrowaniu usuwają na zewnątrz 7 - 8 szklanek toksycznego moczu, a jelito grube zbierze i raz dziennie wydali niepotrzebne resztki - to z czego my się mamy oczyszczać?

Jeden jest tylko sposób na to, żeby wesprzeć proces samooczyszczania organizmów - picie surowej wody. Nie wiadomo dlaczego w cywilizowanym świecie zaniknął kompletnie obyczaj spożywania czystej, nieprzegotowanej wody. Za czasów mojego dzieciństwa w każdej chałupie stało na dębowej ławie w kuchni wiadro z wodą przyniesioną ze studni czy pompy, a przy nim na talerzu kubek do nabierania. Odkąd jednak zainstalowano nam w ścianach krany, zamiast pić wodę, która obmywa, oczyszcza i nawilża organizm od wewnątrz, biegamy do sklepów po kartony chemicznie przyprawianych soków, po których faktycznie trzeba się odtruwać.

- Nie żyjemy w Skandynawii, ojcze Janie, gdzie bez ryzyka poi się niemowlęta z butelki podstawionej wcześniej pod kran. U nas pewne ryzyko jednak istnieje.

- Zalecam zainstalowanie na kranach prostych filtrów (tak jak to widzicie państwo w moim gabinecie), które zatrzymają drobinki metaliczne czy ołowiane wypłukiwane ze starych rur. Obecność organizmów żywych wewnątrz rury, w kompletnej ciemności i chłodzie, w strumieniu wodnym płynącym pod dużym ciśnieniem jest wykluczona. A chlor - jako gaz - ulotni się z wody, jeśli postawimy ją na jakiś czas w otwartym garnku.

Powinniśmy zatem spożywać co najmniej 6 szklanek czystej, surowej, niesparzonej wody dziennie. Dla zdrowia, a także dla urody, bo nawilżona skóra później się starzeje.

- Ojcze Janie, podczas naszych spotkań co jakiś czas wracamy do wątku osobistego. Zakonnik, jak wiadomo, przybiera imię zakonne, które jest dla niego drogowskazem. Kim zatem był ten pierwszy Jan Grande (w zapisie hiszpańskim pewnie - Juan Grandé) z zakonu bonifratrów, którego przed sześcioma laty kanonizował w Rzymie polski papież Jan Paweł II?

- Mam to szczęście, że mogę wzorować się na postaci prawdziwie wielkiej. Jan Grande urodził się w 1546 roku w Hiszpanii, w chrześcijańskiej rodzinie prostych ludzi (ojciec był kowalem). Uczono go w Sewilli na sukiennika. Chłopak przepracował rok jako sprzedawca tkanin, ale kompletnie się do tego fachu nie nadawał.

Uciekł od kupiectwa do pustelni, a następnie wrócił do miasta i na jego ulicach odnalazł to, co określiło jego życiową misję. Zajął się bezdomnymi, chorymi, kalekami, nędzarzami, więźniami, chorymi psychicznie, prostytutkami, umierającymi na ulicach... Dziewiętnastolatek ubrał zgrzebną tunikę, a do rodowego nazwiska Grande (czyli wielki) dodał - Grzesznik.

W średniowiecznej Europie, co rusz dotykanej przez suszę, głód czy epidemię, człowiek biedny i słaby ginął jako pierwszy, w okropnych warunkach. Jan Wielki Grzesznik, trochę podobnie jak w dwudziestym wieku Matka Teresa, zadbał - z Bożą pomocą - o budowę nowoczesnego szpitala. Utrzymywał swoich chorych z jałmużny. Był mistykiem, lewitował.

Co ciekawe, nie spotkał się za życia ze swoim niemal rówieśnikiem, działającym w tym czasie w Hiszpanii z identyczną misją miłosierdzia - świętym Janem Bożym, założycielem zakonu bonifratrów, do którego Jan Grande wstąpił mając 30 lat.

W 1600 roku, w czasie epidemii dżumy, zaraził się od tych, którym niósł pomoc. Choroba powaliła go na ulicy. Nie było miejsca w jego własnym szpitalu, więc umierał w celi klasztornej, kompletnie samotny. Do pochówku zadżumionego ciała ostrożni współbracia wynajęli tragarzy. Tego, który oddał swoje życie sprawie godnej śmierci zaciągnięto hakami do dołu wykopanego pod klasztornym murem. Nie było egzekwii ani obrzędu pogrzebowego. Nie było nawet modlitwy, bo najemni grabarze modlić się nie umieli...

W XIX wieku Jan Grande został błogosławionym, a w XX wieku polski papież uczynił go świętym.

Wspominanie jest terapią

- Ojcze Janie, już tylko trzy tygodnie do Wielkanocy, najważniejszego święta dla katolików. Czy z myślą o nim należy już dziś coś praktycznego przedsięwziąć?

- W ramach pierwszych przedświątecznych przygotowań już możemy zasiać owies, który łatwo kiełkuje, wyrasta na wysokość 8 do 10 cm i może stanowić piękne tło dla cukrowego baranka z czerwoną chorągiewką (nie dla zająca, nie mającego nic wspólnego z chrześcijańską kulturą).

Owies sadzimy w doniczkach lub ozdobnych pojemnikach wypełnionych ziemią (inaczej niż rzeżuchę, której wystarczy lignina i tydzień na wyrośnięcie), stawiamy w ciepłym miejscu, podlewamy. Przypomnę, iż dawniej w polskich gospodarstwach pierwszym wyrośniętym owsem dzielono się na

Wielkanoc z bydlątkami, tak jak opłatkiem w noc wigilijną.

- Do porad świątecznych będziemy sukcesywnie wracać, a tymczasem powiedzmy coś o miłości, i to miłości wyrażonej dotykiem.

- Nie wiem, do czego chcecie mnie namówić...

- Ależ, ojcze Janie... Chodzi o problem oddalania się ludzi. Matka nie przytuli dziecka, ojciec nie pogłaska...

- Nie mają na to czasu, bo pracują, a jak nie pracują, to pochłania ich uwagę obraz telewizyjny. Dzieci garną się do ciała matki, ponieważ biologiczna więź nie została jeszcze zerwana, mimo przeciętej pępowiny. Ciepły dotyk matczynej ręki uspokaja, rozluźnia. Nawet jeśli coś boli, to i ten ból się rozejdzie. Dziecko nie głaskane, nie przytulane dziczeje i we własnej rodzinie zapaść może na chorobę sierocą, a w późniejszym okresie życia będzie szczególnie podatne na wszelkie uzależnienia, choćby od Internetu, i utratę łączności z realnym światem

- Á propos... Mówi się ostatnio o wykorzystaniu Internetu w sprawowaniu sakramentu pokuty.

- Moim zdaniem, dopuszczenie do tego, żeby człowiek spowiadał się przez Internet, nie klęknąwszy przy kratkach konfesjonału, nie widząc osoby, której powierza sprawy swojego życia, na dodatek - bez gwarancji uszanowania dyskrecji, jest dewaluacją i ubliżeniem zasadom kultury chrześcijańskiej.

- Ojciec Jan mówi o kulturze, świat współczesny zastępuje to pojęcie słowem - cywilizacja...

- Tak się składa, że kraj mniej rozwinięty cywilizacyjnie jest dziś krajem kultury. Nieważne - niższej czy wyższej, ale własnej kultury, na którą składa się doświadczenie i mądrość dziesiątków pokoleń, która stwarza warunki dla zdrowego, długiego i szczęśliwego życia, a którą niekontrolowany postęp techniczny potrafi zupełnie stłamsić. Zresztą, co ja tam będę teoretyzował... Jako zielarz i medyk stykam się z ludźmi nowoczesnej cywilizacji i - jeszcze od czasu do czasu - z ludźmi dawnej kultury. Mam porównanie.

Parę lat temu odwiedził mnie w klasztorze dziadek z Białorusi, na oko - 80 lat, zakonserwowany jak zimowe jabłuszko. Pierwszy raz po wojnie wybrał się ze swojej odległej białoruskiej wsi w wielki świat - do rodziny mieszkającej we Wrocławiu. I przeżył szok. Słuchając jego opowieści nie wiedziałem - śmiać się czy płakać?

Już w pociągu, po polskiej stronie, patrzono osobliwie na jego walizę, w której dziadek wwoził „kontrabandę": bochen chleba jak koło młyńskie, wielką szynkę z kością i kawał słoniny. Do tego 10-litrową kanę wódki własnego pędzenia, na spróbowanie... A potem, w mieszkaniu krewniaków zawieszonym na ósmym piętrze bloku, malutkim jak nie dla ludzi (nie było gdzie tej walizy wsadzić), kiedy usiedli przy stole i spróbował jakiejś bladej, włóknistej wędliny, kiedy rozsypał mu się w ręku chleb, a w maleńkie kieliszeczki powlewano alkoholu z dziwacznej butelki; kiedy częstował się i częstował, a ciągle był głodny - nie wytrzymał. Kazał synowej sprzątnąć to wszystko i zarządził po swojemu. Wjechała na stół zawartość białoruskiej walizy - zapachniało prawdziwym chlebem, posypanym czarnuszką, pokrojonym w grube pajdy, szynką, której plastry aż lśniły na półmisku, wódką wlewaną z dwulitrowego dzbanka, a nie półlitrówki...

Synowej - opowiadał staruszek - choć kobieta nie bardzo ładna, aż buzia pokraśniała. Zmietli jedzenie ze stołu, a jemu - jak to miał w zwyczaju - zachciało się dary Boże śpiewem pochwalić. Głos ma silny, jak za młodych lat. Rzucili się na niego uciszać, bo sąsiadom przeszkadza. - Gdzie ci sąsiedzi? . - No, za tą ścianą i za tamtą, i pod podłogą... Co było robić, poszedł spać do ciasnego, dusznego pokoiku, skąd przez okno widać było inne bloki...

Jak wy tu żyjecie? - dziwił się potem w rozmowie ze mną - kiedy ani porządnego jedzenia nie ma, ani mieszkać nie ma jak, ani radości żadnej...

Ten prosty człowiek, który przeżył w naturalnych warunkach - jak się okazało - już 96 lat i nadal był okazem fizycznego i psychicznego zdrowia, wywiózł z Polski przekonanie, że świat, który odwiedził jest w najwyższym stopniu dziwaczny, niezrozumiały, nie do życia...

- Coraz smutniejszy, coraz bardziej gorzki robi się ton naszych wywiadów... Przydałaby się porada ojca Grande - jak odreagowywać w takich sytuacjach?

- Nie jestem psychoterapeutą, ale pewnym antidotum na mijający czas i poczucie nieuniknionej straty może być spisywanie rodzinnych dziejów. Każdy, kto ma jeszcze babcie lub dziadków, powinien nakłonić ich do pisania wspomnień. Na starość pamięć wyjaskrawia początki życia i z powodzeniem można zahaczyć o trzy pokolenia wstecz. Jeśli staruszkowie mają kłopoty ze wzrokiem, trzeba usiąść i samemu spisać to, co mają do powiedzenia.

Dawniej w każdym domu była Biblia, a w niej kilka wolnych stronic na zapiski: kto kiedy się urodził, ożenił, zmarł. Po stu latach figurowało już pięć pokoleń, a najmłodsi dopytywali się: - co to za wujek, który zmarł na Syberii? Skąd się tam wziął?... Rodzina stawała się w naturalny sposób nauczycielem historii narodowej.

Polecam też dla uszlachetnienia domowych obyczajów sporządzanie rodowych portretów. Kto szanuje swoich rodziców, powinien w pierwszą rocznicę ich śmierci zadbać o to, by zawiesić na ścianie konterfekty w ozdobnych ramach, opisane na odwrocie.

Przed paroma laty, kiedy umarła moja siostra, zamówiłem kilka portretów zrobionych na podstawie zdjęć i podarowałem każdemu z jej dzieci.

Bo czymże jest życie nasze?...

- *Memento mori...* W zasady zdrowego życia wkalkulowane jest także myślenie o śmierci. Czy ojciec Jan zaleca porządkowanie spraw doczesnych za pomocą testamentu?

- Jak najbardziej. Pod jednym wszakże warunkiem - by treść testamentu była tajna, a sam dokument dopóki żyje ten, kto go napisał - głęboko ukryty. Nawet w zgodnie żyjącej rodzinie ogłoszenie zawczasu ostatniej woli dziadka, babci czy któregoś z rodziców wprowadzić może niewyobrażalny ferment, a samego spadkodawcę szybciej wpędzić do grobu.

- *Bo czymże jest życie wasze? Parą jesteście co się ukazuje na krótko, a potem znika* - czytamy w Liście świętego Jakuba Apostoła. Jak człowiek powinien przygotowywać się do śmierci?

- Całym swoim życiem... Nie kładłbym tak wielkiego nacisku na obecność księdza przy śmierci. Przez całe wieki Kościół katolicki przerażał ludzi widokiem kapłana, który pojawiał się z Ostatnim Namaszczeniem jak gdyby przypieczętowując wyrok. Stres bywał tak głęboki, że pewnie w niejednym wypadku przyśpieszał zgon. Sobór Watykański II z arcysłusznych, humanitarnych względów zerwał z tą praktyką wprowadzając Sakrament Chorych, który jest niczym innym, jak indywidualnie potraktowaną modlitwą Kościoła o przywrócenie zdrowia. Sakrament ten można przyjąć nie tylko wtedy, kiedy człowiek stoi na krawędzi, ale i dużo wcześniej, a po upływie czasu powtórzyć go. Zyskujemy nadzieję na wyzdrowienie i wewnętrzny spokój.

- Co możemy zrobić dla swoich najbliższych po ich śmierci?

- Tak zwana ekonomia sakramentalna ustaje w momencie zgonu. Natomiast rodzina jeszcze wiele może. Przede wszystkim błagajmy Boga w modlitwie o miłosierdzie dla osoby, która odeszła. Wielkie znaczenie mają czynności poprzedzające pogrzeb, a więc czuwanie przy zmarłym (nie powinien pozostawać sam), różaniec odmawiany w jego intencji w gronie sąsiadów i znajomych, a następnie sama ceremonia pogrzebowa. Często w modlitwie wymawiajmy imię zmarłego. Bardzo tego przestrzegają prawosławni, uważając, że byt człowieka nie kończy się dopóty, dopóki inni pamiętają jego imię. W kulturze żydowskiej istnieje obowiązek pamiętania imion przodków do dziewiątego pokolenia.

- A co możemy w trudnych miesiącach żałoby zrobić dla siebie?

- Czas goi rany i ten okropny ból rozstania złagodnieje. Co można zrobić? Wielką sztuką jest wejść do kościoła, kiedy nikogo tam nie ma, usiąść sobie w ławce (nawet nie klękać, żeby nie bolały kolana), skupić się wewnętrznie i poczekać. Niczego tam Przedwiecznemu nie wciskać, nie mamrotać. Poczekać, aż spłynie na nas wielki spokój... Może nawet za którymś razem sam Stworzyciel do człowieka się odezwie... Warto też czasem pomyśleć o tym, by ofiarować mszę świętą nie tylko za zmarłych, ale za nas samych, za to, że żyjemy...

- Czy „profesjonalistom" - księżom, zakonnikom, łatwiej jest rozstawać się z tym światem?

- Na śmiertelnym łożu leży człowiek w swojej mizerii, a nie ksiądz w sutannie i koloratce czy zakonnik w habicie... Starość i śmierć dotyczy nas wszystkich jednakowo. Swego czasu przebywałem w środowisku emerytowanych duchownych (ileż tam było egoizmu, zarozumiałości, zgorzknienia i nawykowej, pozbawionej znaczenia wiary) głosząc prelekcje na temat zdrowia i higieny ciała. Musiałem, niestety, przypominać o podstawowych sprawach, takich jak ciepła woda, mydło i ryżowa szczotka; jak stosowna dieta z przewagą kaszy gryczanej i pieczarek bogatych w cynk, który u mężczyzn po sześćdziesiątce zapobiega przerostowi gruczołu krokowego...

Ksiądz czy zakonnik ma szansę jeszcze na starość samym swoim wyglądem pobudzić do refleksji, tak, by niejeden przechodzień oglądając się na ulicy za wyprostowaną, odzianą w czerń sylwetką, pomyślał sobie: - oto idzie Boży oficer.

- Obiecaliśmy Czytelnikom, że będziemy sukcesywnie powracać do porad przedświątecznych...

- Dwa tygodnie przed świętami Wielkanocy należy włożyć do dzbanków z wodą gałązki wiśni względnie forsycji. Zakwitną one biało lub złociście akurat pod koniec Wielkiego Tygodnia.

Już trzeba pomyśleć o porządkach świątecznych (za moich czasów na święta wielkanocne obowiązkowo bieliło się i malowało mieszkania).

Istniał kiedyś, dziś już zapomniany praktyczny obyczaj, który polecam uwadze współczesnych rodziców. Otóż, na wiosnę każdemu z dzieci czy dorastającej młodzieży można sprawić coś nowego z garderoby (nie słodycze, nie elektroniczne zabawki) i podarować w świątecznej paczce.

Uszykujmy palmy na Niedzielę Palmową z przyozdobionych barwnie wierzbowych gałązek. A potem, już poświęcone, niech stoją w wazonie czekając na niedzielę wielkanocną, kiedy to zakładamy je za obraz wiszący na ścianie naczelnej.

- Cóż to takiego ta ściana naczelna?

- Niegdyś nazywano tak ścianę największego pokoju znajdującą się naprzeciw drzwi, z reguły bez okien, co zapobiegało przeciągom. Wisiał na niej obraz treści religijnej, będący własnością pokoleń...

O honor jajka

- Ojcze Janie, jajka, które pojawią się wkrótce na naszych wielkanocnych stołach, mają w obecnej dobie tyluż zwolenników, co i zażartych wrogów. Ojciec Jan, od jak dawna go znamy, zawsze bronił honoru jajka...

- Nowomodna, naukowa krytyka jajka, które rzekomo ma być przyczyną podwyższonego cholesterolu, niepotrzebnie namieszała ludziom w głowach. Najnowsze badania potwierdzają jedynie to, co zawsze mówiłem. Jajko nie bez powodu uchodzi we wszystkich kulturach za symbol życia. Przedwieczny już tak to urządził, że w idealnym eliptycznym kształcie zamknięte są w skondensowanej postaci i najwłaściwszych proporcjach składniki odżywcze niezbędne dla rozwoju nowego życia, a dla innych organizmów stanowiące „bombę" odżywczą. Jajko stanowi źródło najwyższej jakości białka (przewyższa je tylko białko znajdujące się w mleku matki), zawiera wiele witamin, przede wszystkim witaminę A, witaminy z grupy B, witaminę E - opóźniającą procesy starzenia, witaminę D, kwas foliowy, wapń, żelazo, a także niezbędny dla paznokci i zębów fosfor.

Kobiety w ciąży powinny spożywać jak najwięcej stężonego, lekko strawnego białka jaj.

Natomiast cholesterolu, o który było tyle krzyku, w jajku znajduje się tyle, ile go trzeba do zabezpieczenia malusieńkich arterii zalęgniętego kurczęcia. Jakież to zagrożenie dla naszych organizmów? W dodatku, mamy w jajku lecytynę i cholinę, którymi leczy się miażdżycę cholesterolową.

Możemy więc w okresie wielkanocnym cieszyć się do woli widokiem pięknie pomalowanych jaj i spożywać je bez obawy, starając się jedynie nie łączyć ich z cukrem, na przykład popijając słodzoną herbatą.

- Jak rozpoznać, czy jajko, które właśnie zamierzamy ugotować na twardo i pięknie pomalować, jest świeże?

- Stare jajo włożone do wody nie opadnie na dno. Ma to związek z wysychaniem. Porowata skorupka przepuszcza powietrze, które gromadzi się pod nią unosząc jajko w wodzie jak balonik.

- Ojcze Janie, pierwsze jajko na świecie i to, które dziś kupujemy w sklepie (nawet jeśli zniosła je anemiczna, nie znająca słońca, karmiona hormonami fermowa kura) niosą ciągle ten sam kod genetyczny. Przy wszystkich obawach o przyszłość, z faktem tym - zwłaszcza w wiosenne święto Zmartwychwstania - wiązać możemy nadzieję...

- Na szczęście, materiał rozrodczy żywych istot (wyjąwszy konsekwencje tragedii, jaka wydarzyła się w Czarnobylu) nie uległ degeneracji. Ciągle jeszcze, mimo usilnych manipulacji człowieka, „drzewo życia" stworzone przez Boga rodzi właściwe owoce. Byle tylko współczesny świat zdołał się opamiętać i zaprzestał zbyt daleko idących eksperymentów naukowych. Sklonowane zwierzęta, jak i możliwość powielenia istoty ludzkiej, z pominięciem naturalnej drogi biologicznej reprodukcji, to jeden z największych skandali w dziejach świata.

- Ojcze Janie, święta Wielkanocy mają jakby mniej wyrazisty scenariusz aniżeli Boże Narodzenie z ukochaną w Polsce tradycją wieczerzy wigilijnej, dwunastu potraw, śpiewania kolęd, rozdawania prezentów...

- Przy wielkanocnym stole też powinniśmy śpiewać. Zanim rodzina zasiądzie do śniadania, ojciec lub matka niech zaintonuje przepiękną staropolską pieśń rezurekcyjną, zaczynającą się od słów: „Wesoły nam dzień dziś nastał/ którego z nas każdy żądał/ Tego dnia Chrystus zmartwychwstał/ Alleluja, alleluja..."

Dla wierzących święta Zmartwychwstania Pańskiego są najważniejsze. Mimo że motyw zmartwychwstania (podobnie jak motyw jajka symbolizującego życie) występuje w innych religiach - bardzo wyraźnie w Egipcie - to jednak nigdzie nie splótł się on tak wyraźnie z życiem doczesnym, jak w chrześcijaństwie. Przekroczenie progu śmierci i spojrzenie na siebie „z tamtej strony" czyni nasze istnienie celowym i sensownym. Warto o tym wszystkim pomyśleć w Wielkim

Tygodniu. Tradycyjnie, nie należy w tym czasie zaczynać żadnych ziemskich spraw. Odwracamy się od zgiełku świata i rozmawiamy ze sobą.

Szukajmy dobrych spowiedników, czyli takich, którzy potrafią nie tylko mechanicznie podyktować pokutę, ale coś człowiekowi serdecznie poradzić. Spowiedź ma spowodować przełom i wewnętrzne odrodzenie. A jeśli - co daj Panie Boże - uda nam się w tym czasie coś porządnie przemyśleć i uporządkować w swoim życiu, święta wielkanocne będą dziesięciokrotnie radośniejsze, nawet przy najskromniejszym stole.

- Mimo wszystko, w czasie świąt trochę smakowej finezji przy tych stołach nie zaszkodzi...

- No to zapiszcie przepis na finezyjny, a zarazem poprawiający trawienie, poobiedni napój: zaparzamy miętę z dodatkiem zielonej herbaty i odrobiną kminku (miażdżąc go wcześniej butelką na twardym podłożu). Słodzimy miodem, dobrze schładzamy, przed podaniem wrzucamy do szerokich szklanek kostki lodu. Napój taki pięknie pachnie, ma subtelną barwę i smak, który zadziwi wszystkich gości.

Natomiast przy kolacji pozwolić sobie możemy na odrobinę czegoś mocniejszego: ciemne, bezalkoholowe piwo karmelowe zagotowane z garścią rodzynek i laską wanilii studzimy, mieszamy z ćwiartką spirytusu, odstawiamy na dwa, trzy dni. Likier taki, że - Panie Boże, odpuść!...

Współpracując z Przedwiecznym

- We Wrocławiu już wiosna, ojcze Janie, ale jakoś mało pachnąca...

- W wielkich miastach wszystkie pory roku pachną spalinami i kurzem. Ostatni raz wdychałem zapach prawdziwego wiosennego powietrza na Ukrainie, parę lat temu. Pamiętam też, jak tam pachniało jedzenie. Siedziałem przy stole, a gospodyni - osiemdziesięcioletnia babina - przynosiła po kolei ziemniaki z masłem i koperkiem, mleko, jaja gotowane na miękko, chleb własnego wypieku, masło, ogórki z przydomowego ogródka... Nic wykwintnego, ale wszystko to pachniało niemal do zawrotu głowy. Co się dziś stało z tymi zapachami? I czy będzie można je odzyskać, skoro chemia przeżarła ziemię na półtora metra? Proces neutralizowania potrwać może i dwieście lat.

- **W czasie świąt jednak odganiamy katastroficzne myśli i wybieramy się na wiosenny spacer, no trudno - po mieście albo po jego obrzeżach...**

- Obowiązkowo, moi drodzy. Wszyscy, całymi rodzinami, po jedzeniu - bez względu na pogodę - wychodzimy z domu. Nawet jeśli pada deszcz. Mało kto zdaje sobie sprawę z tego, że monotonne bębnienie deszczowych kropli po parasolu wycisza i relaksuje nie gorzej niż lek przeciwnerwicowy. Kiedy pada deszcz, a mam akurat trochę czasu, biorę wielki parasol, który kiedyś dostałem za pokazywanie się w telewizji wrocławskiej - Panie Boże, odpuść! - i wychodzę poza klasztor. Deszcz postukuje w parasol i mruczy, ja mruczę pacierze, rozmyślam sobie, porządnie oddycham i wiem, że tego wieczora będę mógł zasnąć bez żadnych kropli.

- **Co to znaczy - porządnie oddychać?**

- Cała nasza populacja operuje półoddechami, nie zdając sobie sprawy z tego, że po latach nie wentylowany, niedotleniony organizm zacznie mieć poważne kłopoty z krążeniem. Należy oddychać tak, jak robią to hinduscy jogowie: wciągamy powietrze głęboko nosem, dobrą chwilę je zatrzymujemy, wentylując dolne partie płuc, po czym wydychamy ustami razem z uzbieranym szkodliwym dwutlenkiem węgla. Wykonujemy takie ćwiczenie kilka razy dziennie podczas spaceru albo stojąc przy otwartym oknie.

- **Co robić, ojcze Janie, co robić - żeby w czasie świąt nie utknąć z nosem w telewizji, która uszykowała świąteczne ekstramenu?**

- Człowiek myślący powinien sobie w pewnym momencie uświadomić, że oto dzieje się coś niedobrego, bo nudzi go własne, jedyne, niepowtarzalne życie, którego każda godzina darowana jest przez Stwórcę, a niezmiernie pociąga i ciekawi coś sztucznego, wymyślonego dla zarobienia pieniędzy. Święta są najlepszą okazją ku temu, żeby trochę otrząsnąć się z uzależnienia od telewizji. Rodzina skupia się przy świątecznym stole, a telewizor - żeby nie korcił - przysłaniamy estetyczną serwetą, albo wręcz wynosimy do innego pomieszczenia.

- A właśnie, ten świąteczny stół... Co powinno się na nim znaleźć?

- Wielkanocne śniadanie, podczas którego dzielimy się jajkiem i składamy sobie życzenia, jest rodzajem rodzinnego misterium. Można powiedzieć, że współpracujemy z Przedwiecznym w błogosławieństwie dla domu. Stół wcale nie musi uginać się pod ciężarem jedzenia, ważne, by królowała na nim święconka w koszyku i wielkanocny baranek.

Na uroczysty obiad wyjątkowo dopuszczam krytykowany zazwyczaj przeze mnie rosół. Jak wiemy, wywary mięsne zawierają tłuszcze nasycone, będące faktyczną, a nie urojoną, jak w przypadku jajka, przyczyną sklerozy. Ażeby zneutralizować je choć trochę, zalecam wygotowywać mięso z dużą ilością warzyw, a następnie zaprawić wywar rozcieńczonym przecierem pomidorowym tak, by lekko się zaróżowił. Nabierze on nieco interesującej kwaskowatości, a przy tym będzie zawierał sporo potasu i witaminy A. Żołądek całkiem inaczej to przyjmie aniżeli sam ciężki wywar, który oblepi śluzówkę, zmaltretuje wątrobę i trzustkę.

Osobiście, robię do rosołu lane kluseczki (dwa jajka roztrzepane z mąką, lane przez lejek na wrzący wywar), a nie makaron. Z mięs zalecić mogę niezwykle smaczną karkówkę, gotowaną w jarzynach, którą podobno nazwano już w Polsce „karkówką á la ojciec Grande". Do niej koniecznie mocny chrzan. Kogo stać, niech się pokusi o kiełbasę własnego wyrobu w miejsce kupnych wędlin. Bezwarunkowo powinien znaleźć się na stole półmisek gotowanych jaj, oblanych majonezem, udekorowanych wianuszkiem drobno posiekanej rzeżuchy, którą też zjadamy; babka maślana, kolorowy mazurek... Zrezygnujmy w tym dniu z frytek na rzecz ziemniaków gotowanych na żydowski sposób, czyli z dodatkiem masła i mleka, posypanych szczypiorkiem i koperkiem. Pamiętajmy o surówkach... Najważniejsze jednak, by się nie przejadać i - podobnie jak radziłem to już w trakcie naszych wcześniejszych rozmów - zachować odpowiednią kolejność. Na pierwszy ogień niech idą kompoty i potrawy słodkie - najłatwiejsze do trawienia, następnie wszelakie mięsiwa, na końcu rosół, który organizm przyswaja z największymi oporami.

- **Tą ostatnią propozycją, ojcze Janie, przekreślamy stulecia europejskich nawyków kulinarnych.**

- Kultura kulinarna, która dopatruje się w jedzeniu przyjemności, ma za sobą tradycję nie dłuższą jak trzy wieki. Wcześniej żywienie było bardzo proste, jedno- lub dwudaniowe, polegające na dostarczaniu koniecznych dla życia naturalnych, mało przetworzonych składników, które nie sprawiały kłopotów trawiennych. Modę na to, by bawić się jedzeniem, tworzyć wielodaniowy obrządek przy stole, serwować pełne sztucznych smaków i upiększeń desery, które zamulają organizm, zapoczątkowały bogate, znudzone jedzeniem jako odżywianiem, arystokratyczne sfery Francji. Odwracając kolejność świątecznych potraw ochronimy się przed bałaganem trawiennym i narażaniem organizmu na niepotrzebny wysiłek.

Czarownik jaki, czy co?

- **Czy mistrz Jan Grande ma uczniów, którym przekazuje swoje doświadczenie, fenomenalne wyczucie ludzkiego organizmu, wiedzę ziołoleczniczą?**

- Póki co, nie ma „szkoły" ojca Grande. Od czasu do czasu asystuje mi któryś z młodych zakonników, mający już jakieś podstawy wykształcenia medycznego, podpatruje moje nietypowe sposoby leczenia i rozmawiania z pacjentami. Mam wrażenie jednak, że pewne sprawy są nie do przekazania.

- **Z całą pewnością nie jest do przekazania osobista charyzma ojca Jana... Proszę powiedzieć, czy pierwszy tomik rozmów „Ojca Grande przepisy na zdrowe życie" wyedukował trochę pacjentów ojca?**

- Z pewnym zdziwieniem obserwowałem jak ta, sprokurowana wspólnym wysiłkiem przed paroma laty, niewielka objętościowo książka nabiera znaczenia, urasta jak dobrze wypieczona drożdżowa bułka. Rezonans społeczny był ogromny, ale co najważniejsze - publikacja trochę poukładała ludziom w głowach i w wielu wypadkach nie muszę już moim pacjentom, każdemu z osobna, robić wykładu na temat elementarnych zasad żywieniowych czy zdrowotnych. A spośród rozmaitych dowodów uznania jeden był szczególnie oryginalny. Odwiedziła mnie kiedyś nobliwa pani - profesor akademicki, wykładowca polonistyki na uniwersytecie i stwierdziła, że książka „Przepisy na zdrowe życie" służy jej jako środek uspokajający. Trzyma ją zawsze w tym samym miejscu, na stoliku pod lampą. Kiedy wraca do domu - zmęczona i zestresowana - sięga po nią, otwiera w byle jakim miejscu i po kilku minutach czytania kompletnie się odpręża.

- Mówiąc tyle o zdrowiu mało dociekamy, w jaki sposób ojciec Jan „prywatnie" sobie z nim radzi?...

- Zdrowie, moi drodzy, miałbym doskonałe, gdyby nie serce po trzecim zawale, dysfunkcjonalna wątroba, żołądek do wymiany, cukrzyca i parę innych drobiazgów. Mało jest takich chorób, których bym nie doświadczył na sobie i wyedukowało mnie to nie gorzej jak studia medyczne. Wszystko, naturalnie, ma związek z syberyjskim dzieciństwem, w którym przeszedłem - między innymi - tyfus i cholerę. Po powrocie do Polski odezwała się gruźlica przewodu pokarmowego, którą lekarze zdiagnozowali jako neurozę młodzieńczą. Wysuszyli mnie do 27 kilogramów i na noszach odtransportowali do domu, żebym im nie psuł szpitalnej umieralności. Dzięki determinacji matki i zainteresowaniu leczniczą siłą roślin przeżyłem. A już w 59 r. otworzyli mi brzuch i wyjęli guz ważący 3 kilogramy. Brzuch nie chciał się zamknąć tygodniami, a jak się pozrastał, to z uszkodzeniami, nie mogłem nawet chleba jeść... Nie życzę nikomu takich przejść, ale dzięki nim ludzki organizm odsłonił przede mną wiele tajemnic. Moi pacjenci dziwią się czasem, kiedy nie zdążą jeszcze opowiedzieć o chorobie, a ja już podsuwam wypisaną receptę: - Czarownik jaki, czy co?

- Proszę powiedzieć, dlaczego artretyczny ból w kolanie, doskwierający ostatnio naszemu Papieżowi, jest tak dojmujący?

- Artretyzm powstaje na tle nadprodukcji kwasu moczowego, który krążąc z krwiobiegiem osiada w stawach, przede wszystkim w stawach kolanowych. Wżera się w maziówkę, wysusza ją, maceruje chrząstki, które zaczynają przypominać rdzewiejące gwoździe. Ocierając się o siebie przy każdym kroku, zwłaszcza przy schodzeniu ze schodów, powodują taki ból, że człowiek nie wie co ze sobą zrobić... W Armenii i Hiszpanii istnieje stara tradycja leczenia artretyzmu poprzez spożywanie dużej ilości soku z cytryn dojrzałych w naturalnych warunkach.

- Ojcze Janie, czy musimy tyć po pięćdziesiątce? Nie jest to - Boże uchowaj! - przytyk natury osobistej...

- Mało kto w dzisiejszej populacji ludzkiej, która uważa się za coraz bardziej wykształconą, zdaje sobie sprawę z tego, że z biegiem lat potrzebujemy coraz mniej jedzenia. Zapotrzebowanie na duże ilości, charakterystyczne dla okresu wzrostu i rozwoju, kończy się u płci żeńskiej w wieku lat 20, u mężczyzn - po 25 roku życia. Ukształtowany organizm już nie potrzebuje budulca do wzrostu, ale jedynie do regeneracji, a więc odpowiednio mniej. Po 25 roku życia spokojnie możemy zmniejszyć racje żywieniowe o jedną trzecią, a po pięćdziesiątce nawet o połowę. Organizm odetchnie, kiedy nie będzie musiał przerabiać butwiejących gdzieś po zakamarkach nadmiernych ilości substancji i w ciężkim samoobronnym wysiłku odkładać je w postaci złogów tłuszczu.

- **Jak wygląda otyły człowiek „od środka"?**

- Równie nieestetycznie jak na zewnątrz. Wszystkie jego wewnętrzne organy oblepione są tkanką tłuszczową, mają zwiększoną objętość, stają się dysfunkcjonalne i wzajemnie sobie przeszkadzają. Otłuszczony żołądek i otłuszczona wątroba podnoszą przeponę oddzielającą klatkę piersiową od jamy brzusznej i zaczynają się problemy z uciśniętym sercem. Szuka ono dla siebie nowych, nietypowych przestrzeni w klatce piersiowej, układa się horyzontalnie, obciąża dodatkową pracą lewą komorę. Przepływ krwi jest coraz trudniejszy, niebezpiecznie napina się łuk aorty. Powstaje samoistne nadciśnienie, a zarazem zaczynają się problemy z oddychaniem. Otłuszczony organizm skupiony na tym, by ratować równowagę zachwianą na skutek złej przemiany materii, z biegiem czasu słabnie i traci odporność.

- **Wobec tego - jak go odtłuścić?**

- Poprzez dietę ograniczającą. Niczego nowego tu nie wymyślimy. Kościół narzucił w dawnych czasach rygor piątkowy i należałoby do niego konsekwentnie wrócić. Kto ma silną wolę niech poprzestanie w piątki na trzech kromkach chleba i herbacie. Nałogowcom jedzeniowym zalecam w tym dniu dwa posiłki, wyłącznie jałowe. Za moich młodych lat pościło się jeszcze dodatkowo w środy, stawiając na stole zupy jarzynowe na oleju, kasze z masłem lub olejem, groch z kapustą; do picia - barszcz, kwas chlebowy...

W rytmie nocy i dni

- Ojcze Janie, czy melatoninę, dostępną bez recepty, zastępującą syntetyczne leki nasenne, można aplikować sobie bez nadzoru lekarskiego?

- Nie jest to bezpieczne. Melatonina jako lek z pogranicza hormonów, nieumiejętnie podana może rozregulować organizm. Zalecam ją pacjentom dopiero wtedy, kiedy nie skutkują mocne napary z melisy czy wyciąg z dziurawca. A generalnie, problem bezsenności jest efektem zaburzonego przez nowoczesność - Panie Boże, odpuść! - trybu życia i odżywiania.

- Przed paroma miesiącami nauka wykryła w ludzkim organizmie specjalny rodzaj białka reagującego na światło dzienne lub jego brak.

- Przez miliony lat było tak, że człowiek budził się wraz z pierwszą zorzą, kiedy tylko różowiało niebo, a o szarówce kłaniał się słońcu, kłaniał się Bogu, dziękował za dzień i szedł spać. Funkcjonują tak jeszcze odizolowane grupy mnichów tybetańskich i prawosławnych.

Nowoczesny człowiek zamieszkały w mieście nie zna prawdziwej, głębokiej, niczym nie zakłóconej ciemności. A jest ona zbawienna dla naszych organizmów, działa jak wyłącznik stresów. Momentalnie zaczynają wypoczywać nerwy wzrokowe, słabnie puls, serce zwalnia swój rytm, mózg pracuje na mniejszych obrotach, cały organizm wycisza się i regeneruje.

Ciemność konieczna jest również dla rytmu życiowego roślin i zwierząt, które - podobnie jak my - nastawione są na odbiór nocy i dnia. Brak światła hamuje impet wegetatywny. Gdyby nie zapadała noc, rośliny osiągałyby monstrualne rozmiary.

- Przypomina się w tym miejscu nieszczęsny przemysłowy chów drobiu.

- Jest to barbarzyństwo urągające prawom natury. Nie łudźmy się jako konsumenci, że taka wymuszona sztucznym światłem biologiczna nadaktywność nie odbija się na wartościach odżywczych hodowanych organizmów.

- Ojcze Janie, a towarzyszka ciemności - cisza?

- Jest równie ważna dla zdrowia i zdrowego snu. Niestety, również i ona jest niemal nieznana w miastach. Prawdziwe „egipskie" ciemności i ciszę taką, że aż dzwoni w uszach, spotkać można jeszcze tylko na wsiach, a i to nie wszędzie. Mieszkańcy aglomeracji miejskich powinni dołożyć starań i przybliżyć swoje życie do warunków naturalnych. Jeśli przez okna przedostaje się światło lamp - zaciągnijmy grube story lub opuśćmy żaluzje, jeśli przeciska się zgiełk uliczny - postarajmy się o wyciszające podwójne okna. Przede wszystkim jednak nie wolno odwracać biologicznego cyklu doby: o świtaniu, między 4 a 5, kora nadnerczy wstrzykuje do krwiobiegu adrenalinę, podnosi się lekko ciśnienie, wzbiera energia i jesteśmy przygotowani do dziennej aktywności, a koło godziny 21, najpóźniej 22 - cały nasz organizm skłania się już ku wypoczynkowi.

- Dla cierpiących na bezsenność w tym momencie zaczyna się dramat.

- Niech zrobią porządny rachunek sumienia, bo może się okazać, że sami są autorami tego dramatu. Emeryci kimają w ciągu dnia niemal wszędzie tam, gdzie przysiądą i trudno się dziwić, że nocą nie są złaknieni snu. U młodszych tragedię bezsenności - z bólami głowy, ogólną nerwicą, mrowieniem w nogach, mroczkami przed oczyma, skłonnością do depresji, a nawet myśli samobójczych - powoduje brak magnezu i witamin z grupy B w pożywieniu. Przede wszystkim odstawmy papierosy i kawę, która powoduje krótkie, złudne ożywienie kofeinowe, wypłukując jednocześnie magnez niezbędny do produkcji adrenaliny pobudzającej w sposób naturalny. Unikajmy przed snem mocnej herbaty, zastępując ją naparem z dziurawca lub sporym kubkiem kakao (ziarna kakaowca są przebogatym źródłem magnezu). Amatorom silniejszych wrażeń smakowych zalecam przed snem szklankę piwa. Jest w nim dużo substancji zdrowotnych, a wyciąg z chmielu wycisza napięcia nerwowe i działa delikatnie usypiająco. Powtarzam jednak - szklankę piwa, a nie dwie. Większa dawka alkoholu spowoduje przekrwienie mózgu i kłopoty z zasypianiem.

Doskonałym zdrowotnym sposobem na bezsenność jest wieczorny spacer.

- **Rytm nocy i dni - ojcze Janie - pracy i wypoczynku, następujących po sobie pór roku, świąt i dni powszednich - wszystko to uzmysławia, że czas mija, a my razem z nim. Niełatwo się z tym pogodzić.**

- Człowiek lepiej znosi przemijanie, jeśli w rytm zdarzeń rozgrywających się w czasie wplecie osobistą refleksję. Każdy dzień powinien zakończyć się krótkim podsumowaniem - co było w nim dobre, a co złe, co należy w przyszłości poprawić. Refleksja niech nam towarzyszy w niedziele, które - niestety - stają się w Polsce ostatnio okazją do robienia zakupów, czyli kolejnym dniem powszednim. A monotonia zwykłych, tak samo upływających dni jest zabójcza dla psychiki...

Pośród moich pacjentów mam wielu takich, których własna starość jakoś dramatycznie zaskakuje. Są ogromnie niespokojni, pełni pretensji do świata, że oto zbliża się czas ich odejścia. Pamiętam pewną staruszkę, która w wielkim zdenerwowaniu wykrzykiwała: - Toż niech mi ojciec czem prędzej jakieś ziółka zapisze, bo ja taka zmęczona, że prawie chodzić nie mogę, a przecież pamiętam jak dwa worki pszenicy nosiłam po schodach. - Kiedy to było, babciu? - pytam. - Tak jakoś po pierwszej wojnie...

Musimy nadążać psychicznie za starością własnego ciała. Tak jak w przyrodzie jest czas budzenia się do życia, dojrzewania, wegetacji i obumierania, tak i w naszym życiu po dzieciństwie, młodości, wieku dojrzałym przychodzi czas starzenia się i umierania. Rzeczą ludzką jest przeżyć wszystkie te etapy z otwartymi oczami.

Samobójstwo na raty

- Ojcze Janie, psychologowie biją na alarm: rośnie liczba osób uzależnionych, mnożą się typy uzależnień. Nałogiem stać się może nie tylko kawa, papierosy, wódka i narkotyki, ale też praca, telewizja, komputer, zażywanie leków, filmy pornograficzne, doznania seksualne, czy nawet coś tak pospolitego jak czekolada...

- Zdrowy, dobrze odżywiony organizm nie będzie podatny na żadne nałogi. Zmęczyło mnie już powtarzanie, by w ciągu dnia tak dobierać posiłki, aby zaopatrzeć organizm w odpowiednie ilości białka, wapnia, krzemu, magnezu, cynku, żelaza, fosforu, jodu, selenu, witamin... Tego wszystkiego, z czego on sam jest zbudowany. Spożywajmy więc dużo nabiału, warzyw, owoców, wszelkich kasz, z przewagą gryczanej, gruboziarniste pieczywo, proste tłuszcze, chude mięso. Nie gardźmy czekoladą... Dobre odżywienie stwarza bazę do zachowania równowagi energetycznej i jest to najlepsza obrona przed uzależnieniem.

- A tło psychologiczne?

- Zachwianie w sferze psychiki jest pochodną niedoborów w organizmie fizycznym.

- Jednak natura ludzka (ciekawe, że tylko ona) skłonna jest do uzależnień.

- Nie zgadzam się z tą opinią. Człowiek, prócz jednego wyjątku, nie ma żadnych wrodzonych predyspozycji do nałogów. Tym wyjątkiem jest popęd płciowy, instynktowny pościg za rozładowaniem napięcia seksualnego, który może w pewnym momencie przeobrazić się w nałóg. Dotyczy to zarówno mężczyzn, jak i kobiet.

- Czy alkoholika traktujemy jak osobę chorą?

- Z całą pewnością - nie. Nałogi nie są chorobą, lecz dobrowolną formą psychicznej rozpusty. Człowiek ma rozum i wolną wolę, a wokół siebie mnóstwo tragicznych przykładów na to, że nałóg jest rezygnacją z życia, rozłożonym na raty samobójstwem.

I znów muszę, niestety, powtórzyć coś, co po naszej pierwszej książce wywołało burzę: za nałóg mężczyzny odpowiedzialna jest kobieta. To ją Przedwieczny uczynił stróżem ogniska domowego, to ona troszczyć się musi na równi o dzieci i ich ojca, łącznie z tak elementarną sprawą jak zmiana bielizny i koszuli, czy właściwy jadłospis. Na dodatek, im mężczyzna jest starszy, tym więcej tej opiekuńczości potrzebuje... Niechże kobieta zobaczy w tym swoim podstarzałym, burkliwym mężu chłopaka, którego kiedyś pokochała - przystojnego i dowcipnego. Los oddał go w jej ręce. Co uczyniła, by rozwinął się jako człowiek, mąż i ojciec? Czy nie za szybko odstawiła go na bok, zajmując się tylko dziećmi? Chłop zaniedbany przez żonę wcześniej czy później trafi na kumpli, którzy postawią mu tę pierwszą szklankę piwa...

- **Ojcze Janie, pewnie niejedna z kobiet dyskutowałaby z tym wywodem... Wracając do naszych porad - spróbujmy uszeregować mięsa konsumowane w Polsce pod względem ich przydatności zdrowotnej.**

- Tradycją polską jest mięso wieprzowe. W minionym dziesięcioleciu nadeszła - razem z restauracjami MacDonalda i hamburgerami - amerykańska moda na wołowinę, nie sądzę jednak, by ten gatunek mięsa wyparł w domowych gospodarstwach kotleta schabowego czy pieczeń wieprzową. W Polsce krowy były i są głównie dostarczycielkami mleka, masła, serów. Nie hodowano ich na ubój.

- **Wołowina ma swoje zalety.**

- Naturalnie. Zawiera więcej białka niż wieprzowina i mniej tłuszczów nasyconych; łój wołowy jest lżej strawny niż smalec. Mimo to, nasze kulinarne potrzeby lepiej zaspokaja kawałek wieprzowiny. Jeśli chodzi o jego zdrowotne przyrządzanie to chciałbym zwrócić się z apelem do naszych panów: niech przygotują ruszt do brytfanki, w której w domu piecze się mięso - najzwyklejszą, opartą na nóżkach metalową siatkę. Pozwoli ona oddzielić mięso od wypieczonego tłuszczu, likwidując tym samym zagrożenie cholesterolowe. Tłuszcz pozostały na dnie traktujemy jako smakowity, pachnący smalec.

- **Czy należy bać się choroby wściekłych krów?**

- Nie jest ona jeszcze do końca rozpoznana. Na przykład, nie ma całkowitej pewności, czy wirusy atakujące mózgi zwierząt trawożernych są jednakowo groźne dla organizmów ludzkich. Nasza wątroba potrafi zneutralizować wiele ze szkodliwych składników, z którymi nie poradzi sobie organizm istot trawożernych...

Zwróciłbym uwagę Polaków na mięsa, które - nie wiedzieć czemu - poznikały z naszych jadłospisów. Drogocenne substancje żelatynowo-kleiste, wzmacniające kości, stawy, włosy, paznokcie zawiera cielęcina. Niezwykle wartościowe, łatwo wchłanialne, wolne od substancji cholesterolotwórczych jest mięso baranie.

Pamiętam z czasów mojego dzieciństwa wspaniałe syberyjskie barany, skarb Mongołów, którzy jako muzułmanie nie używali wieprzowiny. Nigdzie indziej nie spotkałem później takiej rasy: dorosły osobnik miał w miejscu ogona nadbudowanie, jakby zbiornik z odkładającym się tłuszczem, tak zwany kurdziuk. Tubylcy zaczepiali o niego czterokołowe wózki i baran służył jako siła pociągowa.

Po zarżnięciu zwierzęcia z kurdziuka wysmażało się szarawobiały, nie zastygający (dziś wiemy, że antycholesterolowy) smalec. Pamiętam, jak w tym baranim tłuszczu, który nigdy nie powodował dolegliwości trawiennych, smażyło się bursaki, coś podobnego do naszych pączków. Rozrabiało się mąkę pszenną zmieloną na żarnach z drożdżami albo zakwasem, a kiedy już dobrze podeszła katulało się ją na stolnicy, tworząc gruby wałek. Cięło się go nożem i takie poduszeczki rosnącego ciasta rzucało na wrzący tłuszcz. Posypane solą (cukru w tym czasie na Syberii nie było) miały niezwykły smak.

Przemija postać świata

- Opowiedzmy, ojcze Janie, o mięsie i tłuszczu ryb.

- Polacy pomału zaczynają szanować ryby i wprowadzać je do jadłospisu. Należałoby dążyć do tego, by w diecie tygodniowej trzy razy znalazły się na stole na obiad ryby, z całym ich odżywczym bogactwem. Eskimosi bazując przez pokolenia na tym, co złowili w morzu (do niedawna w ogóle nie znali warzyw) są nacją długowieczną, niezwykle odporną na choroby. Tłuszcz rybi, nawet jeśli spożywamy go w znacznych ilościach, nie stanowi zagrożenia cholesterolowego. Przeciwnie - pomaga spłukiwać zły cholesterol pobrany z innym pożywieniem.

W zimnych porach roku zalecam wszystkim, nie tylko dzieciom, spożywanie tranu. Jeśli ktoś - co nie daj Boże - poddać się musi rado- czy chemioterapii,

jest osłabiony po operacji, niech ratuje się kapsułkami ecomeru, zawierającymi olej z wątroby rekina.

Czymś niezwykle smacznym jest zrobiona w domu pasta z ryby wędzonej według bardzo prostego przepisu: rozcieramy na masę oczyszczoną z ości makrelę z połową kostki masła, przecierem pomidorowym, niewielką ilością soli.

- Zwykła polska kapusta, którą opiewał w swoim narodowym poemacie Adam Mickiewicz, cieszy się wielkim szacunkiem ojca Jana Grande. Przypomnijmy jej nadzwyczajne właściwości.

- Już w średniowieczu na południu Europy biała kapusta, należąca do rodziny roślin krzyżowych (kapusta, kalarepa, kalafior, rzodkiewka, brokuły i brukselka) tyleż była potrawą, co i wszechstronnym lekiem. Częste spożywanie zapobiega stanom zapalnym przewodu pokarmowego, żołądka, dwunastnicy. A jeśli już choroba jest w rozkwicie i trapią nas wrzody czy zakwaszona śluzówka układu pokarmowego, należy pić trzy razy dziennie po pół szklanki soku z surowej białej kapusty dwie godziny po posiłku. Dobrze jest wrzucić do niego odrobinę ziarenek kminku, rozbitych młoteczkiem lub zmiażdżonych butelką na stolnicy. Uwalnia się wtedy z nasionek drogocenny, eteryczny olejek, który niszcząc energię komórek gnilnych w przewodzie pokarmowym zapobiegnie wzdęciom.

Współczesna nauka potwierdziła ostatnio, że rośliny kapustne mają, podobnie jak czerwony sok pomidorowy, szerokie możliwości likwidowania wolnych rodników, czyli chronią komórki przed dewiacjami rakowymi.

Liście kapusty, zmiażdżone butelką lub wałkiem (tak, żeby puściły sok) stosujemy jako okłady przy wszelkich urazach zewnętrznych. Działają podobnie jak liście babki, rozmiękczając ciało, wyciągając z niego substancje toksyczne i w efekcie likwidując stan zapalny.

W rodzinie roślin krzyżowych najdelikatniejsza jest kapusta pekińska, najmniej strawna - kapusta czerwona (raczej nie polecam na surówki), najbardziej gazująca - brukselka. Brukselkę, ażeby była lżejsza, należy krótko zagotować i odstawić, dodając wcześniej szklankę mleka.

- Odtłuszczanie mleka, masła i serów... Obcując tyle czasu z ojcem Janem domniemywać możemy, iż nazwie ten proceder jakimś mocnym słowem, Panie Boże, odpuść!

- Niczego nie będę nazywał, tylko opowiem, jak to kiedyś w młodości podpatrzyłem wyrób sera według dawnej polskiej receptury. Było to tuż po wojnie. Chodziliśmy z matką po ser z naszego Rzepina przez świerkowy las, do starej kobiety zamieszkałej na skraju osiedla. Nigdy potem czegoś takiego nie jadłem. Ser był delikatnie lepki, nie kruszył się, specyficznie pachniał, krojony w plastry lśnił, a w przekroju widoczne były żółtawe maślane smugi. Ale też posłużyło do jego produkcji nieodciągane, pełne mleko, wzbogacone dodatkowo gęstą żółtą śmietaną (łyżka takiej śmietany dostarcza niezbędnej do przyswajania wapna witaminy D w takiej ilości, jaką naprodukowałoby w organizmie całodzienne przebywanie na słońcu).

Obserwowałem też jako wyrostek proces składowania tych serów na zimę. Gospodyni podsuszała kilkanaście sztuk na słomianym dachu, po czym układała je warstwowo w beczułce z brzozowych klepek, zalewała topionym solonym masłem z niewielką ilością roztartego czosnku, zabijała beczułkę wieczkiem. Zimą te sery wyjmowane z masła zaopatrywały organizm w witaminy A i D, wyręczając schowane za chmurami słońce.

Całkowitą nieprawdą jest, iż chude mleko czy sery są dla nas przydatne. W procesie odtłuszczania pozbawia się je witamin A i D, pozostaje czyste białko i czyste wapno, bardzo trudno wchłanialne właśnie z braku witaminy D. Organizm spróbuje sobie poradzić i wyciągnie ją gdzieś z zakamarków, ale wtedy mogą - na przykład - pokruszyć się nam paznokcie czy posypać włosy...

- **Jakiego wieku dożyła ostatnia producentka prawdziwych serów?**

- Zmarła mając 98 lat. Jej wykształcone córki rozjechały się po świecie, chałupina ze słomianym dachem zapadła się, razem z nią weszły do ziemi stare umiejętności.

- **Sic transit mundi... Nadążając za przemijającym światem, Polska dzisiejsza wchodzi do wspólnoty europejskiej. Czy to znaczy, że nam - ludziom tradycji - przyszło już tylko umierać?**

- Nie mnie - prostemu mnichowi - zabierać głos w takich sprawach... Jeśli jednak spojrzeć wstecz, to widać, że ciągoty globalizacyjne występowały już w ludzkich dziejach i nie powiodły się. Swego czasu Kościół Katolicki zamierzał zjednoczyć wszystkie narody chrześcijańskie, narzucając łacinę jako język obowiązujący. Jednak silniejsze okazały się te formy, które wyrosły z trwania przy wspólnocie krwi, odrębności kulturowej i językowej.

Żywotność obecnych tendencji globalizacyjnych oceniam na jakieś 10 - 15 lat. Już dziś to wielkie gmaszysko biurokratycznie sterowanej gospodarki nosi na sobie wyraźne rysy. Czy jako Polacy musimy przez to wszystko przejść? Pewnie nie ma innej drogi. Ważne, by w mądry sposób uchronić własną obyczajowość, odrębną kulturę i sposób bycia. Nie ma na całym świecie czegoś takiego, co mogłoby Polakowi zastąpić odmawianą po polsku modlitwę „Ojcze nasz".

Vademecum ojca Grande

Baba wielkanocna, jak wszystkie ciasta drożdżowe, wymaga dokładnej proporcji składników: pół kg mąki, 15 dkg cukru, 6 dkg drożdży, 10 dkg masła, 5 żółtek, smażona skórka cytrynowa, 10 dkg rodzynków, szklanka mleka waniliowego, które wcześniej zagotowujemy z połówką posiekanej laski naturalnej wanilii (wanilia, podobnie jak cynamon, jest substancją leczniczą i bakteriobójczą).

Do lekko nagrzanej miski sypiemy 10 dkg przesianej mąki, dodajemy drożdże rozrobione w mleku z łyżeczką cukru i odstawiamy do wyrośnięcia. Żółtka ucieramy z pozostałym cukrem, dodajemy je wraz z resztą mąki, szczyptą soli i lekko roztopionym masłem do wyrośniętego rozczynu (w kuchni żydowskiej dodaje się jeszcze dwie łyżki oleju). Dobrze mieszamy. Można wziąć część masła na dłoń i wklepywać kilka minut czując, jak ciasto pulchnieje pod ręką. Wsypujemy rozmoczone, odcedzone i oprószone mąką rodzynki, skórkę cytrynową - jeszcze chwilę wyrabiamy i wlewamy ciasto do ogrzanej, wysmarowanej masłem i wysypanej krupczatką formy. Czekamy, aż zacznie górować. Kiedy wypełni sobą formę, wstawiamy do niezbyt gorącego piekarnika, który stopniowo podgrzewamy. Po około 50 minutach sprawdzamy suchość patyczkiem. Jeszcze ciepłą babę oblewamy lukrem z cukru pudru rozrobionego w mleku waniliowym. Zapach rozejdzie się taki, że trzeba będzie dobrze pilnować dzieci...

C ebula i czosnek zjadane w większych ilościach odkładają się w organizmie jako naturalna osłona antybiotykowa. Bakterie jej nie sforsują. Zawierające siarkę eteryczne olejki cebuli znakomicie skutkują na śluzówki. Jeśli komuś zdarzy się katar czy - nie daj Boże - stwierdzi zapalenie zatok, to powinien postępować następująco: utrzeć na tarce do ziemniaków dwie duże cebule, wrzucić je do wysokiej koktajlowej szklanki, owinąć jej brzeg uszczelniającym wianuszkiem z waty i głęboko oddychać przez nos, uważając, by gaz nie dostał się do oczu.

Uodparniającą nalewkę przeciwprzeziębieniową przygotowujemy w następujący sposób: dwie zmiażdżone główki czosnku, sok z dwóch cytryn, cztery łyżki stołowe miodu i dwie szklanki przegotowanej wody mieszamy i stawiamy pod przykryciem w ciemnym miejscu na dwie doby. Następnie cedzimy nalewkę przez sitko, przechowujemy ją w szklanym naczyniu, dawkując po dwie łyżki stołowe dziennie. Dzieci stosują mniejsze dawki.

Cukier zapisać można w księdze najbardziej niebezpiecznych, skracających życie specyfików. Azjaci, niegdyś w ogóle nie znający cukru, żyli po 100, 120 lat. Zanim produkt ten zostanie przetrawiony, przechodzi w organizmie przynajmniej czterokrotne przeobrażenie chemiczne. A w pierwszym rzędzie łączy się z solami tłuszczów nasyconych i produkuje ogromne kryształy cholesterolu. Tak więc cukier jest trucizną, mimo obecnej w nim glukozy odżywiającej tkankę nerwową. Zalecam do słodzenia miód, który od razu przeobraża się w organizmie w energię.

Czytanie książek jest dla rozwoju psychicznego człowieka tym, czym pożywienie dla jego persony fizycznej. Żaden film, zwłaszcza telewizyjny, nie zastąpi książki. Mało kto potrafi opowiedzieć akcję filmu, który całkiem niedawno oglądał w telewizji, natomiast treść przeczytanych książek pamięta się przez dziesiątki lat. Ostrzegam przed lekturą książek z ekranu komputera. Jest to po pierwsze - ogromnie niekorzystne dla wzroku, a po drugie - nietypowa percepcja utrudnia zapamiętywanie. Treść książki przeczytanej na szklanym monitorze, choćby najciekawsza, uleci z pamięci dwukrotnie szybciej aniżeli ta, którą poznaliśmy wertując papierowe kartki.

Dobrą pamięć do późnych lat pomogą nam zachować często spożywane podroby wieprzowe, wszelkiego typu wątróbki, głównie drobiowe, z dużą zawartością kwasu foliowego i witaminy B9. Prócz tego, gruboziarniste pieczywo, kasze, grochówki, fasolówki, ryby morskie i jajka. Jeśli przypomnieć starą żydowską zasadę, to powinniśmy spożywać kilo cebuli na tydzień oraz kilogram śledzi. I do stu lat będą nam służyć *głowa do geszeftu, nogi do biegania.*

A kiedy już zdarza się tak, że coraz częściej zapominamy, gdzie położyliśmy klucze - to polecam trzy razy dziennie egzotyczny ziołowy specyfik z rośliny pochodzącej z wysp południowego Pacyfiku o nazwie Kava-Root, od czterech lat dostępny na polskim rynku. Dobroczynnie działa na umysł, zwiększa koncentrację, podnosi samopoczucie, nie ma żadnych działań ubocznych i nie powoduje przyzwyczajenia.

Gałki rybne na Wielki Piątek, które mogą być również wykwintnym, choć postnym daniem na inne okazje, przygotowujemy następująco: mielemy rozmrożone filety z morszczuka lub dorsza, dodajemy ze dwa, trzy jaja na twardo, jajko surowe, dwie, trzy garście tartej bułki, dwie niewielkie surowe cebule drobno posiekane i ze dwie cebule pokrojone i podrumienione na maśle. Sypiemy sporo pieprzu, sól, dokładnie mieszamy, formujemy kule, gotujemy na wrzątku (wywar można zużyć do zupy rybnej). Kule stygną, a my szykujemy sos: na jednej patelni zrumieniamy na oleju kilogram cebuli w talarkach, a na drugiej kilogram startej marchwi. Kiedy zmięknie, łączymy ją z przecierem pomidorowym (nie więcej jak pół szklanki) oraz - do smaku - ketchupem łagodnym i ostrym. Mieszamy z podrumienioną cebulą. Przekładamy tym sosem - warstwa po warstwie - gałki rybne. Trzymamy w chłodnym miejscu. Jest to doskonałe danie wielkopostne, a w czasie świąt posłużyć może jako przystawka do delikatnego alkoholu.

Garnki w dobrze prowadzonej kuchni mają być duże. Gotujemy wyłącznie pod przykryciem, wykorzystując objętość garnka do połowy tak, żeby było miejsce na gromadzenie się pary. Para nie ma prawa wymykać się spod przykrywki, zabierając ze sobą witaminę B1, której nasz organizm (podobnie jak witaminy C) nie kumuluje. Brak witaminy B1 daje takie same objawy jak niedobór magnezu. Należy więc tak gotować, aby nic z garnków nie uciekało.

Wszyscy już pewnie wiemy, że niedopuszczalne są w kuchni naczynia z aluminium, które niszczy śluzówki i kości.

Mimo pewnych wahań na początku, przekonałem się do patelni teflonowych (zwłaszcza tych uszlachetnionych, z modelowanym dołeczkami dnem). Wygodnie się je obsługuje, nie trzeba dużo tłuszczu, nic nie przywiera. W świecie zachodnim robiono badania i żadne nie udowodniło szkodliwości teflonu.

Groch, ten najzwyklejszy, byle nie łuskany, zawiera magnez, kobalt, żelazo, fosfor, błonnik, białko roślinne; substancje antyreumatyczne, antymigrenowe, antycukrzycowe, antydepresyjne. Przeciwdziała kamicy nerkowej i wątrobowej, łamaniu w kościach, zmęczeniu, bezsenności. Jest kopalnią witaminy A, witaminy B-kompleks... Jedząc grochówkę pozyskujemy dodatkowo witaminę C i siarkę z cebuli, białko zwierzęce, którego źródłem jest kawałek wędzonki, wartości odżywcze z marchwi, pietruszki, kartofli, nie mówiąc już o walorach dodatków, jakimi są majeranek, pieprz, liście bobkowe... Talerz grochówki dostarcza organizmowi kilkunastu składników regenerująco-odżywczych, które krwinki jak pracowite mrówki rozwożą dokładnie tam, gdzie są one potrzebne. Dodam jeszcze, że to, co najlepsze w naszym jadłospisie (zarazem powszechnie dostępne i najtańsze) nie jest żadnym odkryciem, wymaga tylko przewietrzenia pamięci.

Gronkowiec jest bakterią niemal niezniszczalną. Jego nosicielstwo w Polsce dotyczy jednej czwartej populacji. Bardzo wiele osób nie podejrzewa siebie o związek z gronkowcem, dlatego należy co kilka lat wykonywać badania laboratoryjne na jego obecność.

Bakteria usadawia się w górnych drogach oddechowych - nosie, gardle, zatokach. Wydzieliny śluzowe mogą korkować kanaliki uszu i utrudniać słyszenie. Śluz spływa też do żołądka i kiszek.

Kiedy możemy podejrzewać się o nosicielstwo? Człowiek z gronkowcem jest niecierpliwy, przykry dla otoczenia, ze wszystkiego niezadowolony, szczególnie wrażliwy na wiatry i przeciągi. Miewa napadowe bóle głowy, stany podgorączkowe, długotrwałe rozkojarzenie odporności na choroby wirusowe.

Gronkowca nie niszczą żadne antybiotyki. Jest tak przebiegły, że po kilku dniach stosowania zamienia antybiotyk w substancję niemal odżywczą. Natomiast nie znosi soli. Stara żydowska metoda walki z gronkowcem polega na płukaniu gardła kilka razy dziennie zwykłą solanką (pół łyżeczki soli na pół szklanki ciepłej wody). Skuteczne jest też głębokie płukanie rozcieńczonym surowym sokiem z jarzębiny. W kuracji stosujemy jednocześnie dostępne w aptekach krople do nosa (Xylożel, Tyzine), a na noc bierzemy przez kilka miesięcy nalewkę z czosnku, miodu i cytryny.

Herbata, jeśli jest dobrze, mocno zaparzona, zabezpiecza przed chorobami krążenia, serca, niewydolnością mózgu, kłopotami z zapaleniem śluzówki, nawet przed grypą. Ekspertem w zaparzaniu herbaty są ludy Azji. Przez całe wieki używano tam samowarów, na których stawiano imbryk z wrzącą esencją herbacianą. Tymczasem w Polsce uważamy, że herbaty nie należy zagotowywać. Nic bardziej błędnego. Herbata zaczyna być sobą wyparzana w temperaturze powyżej 100 stopni. Uaktywniają się wtedy garbniki, które działają ściągająco i odkażająco (na wschodzie esencja herbaciana zastępuje jodynę), witaminy B1 i B6, zapobiegające otyłości; wyparza się puryna i rutyna, która uelastycznia naczynia krwionośne.

Do gotowania esencji używamy osobnego, wyparzonego czajniczka. Suchą herbatę zalewamy wodą, doprowadzamy do wrzenia, gotujemy przez dwie minuty, po czym zostawiamy na pół godziny, żeby dobrze naciągnęła.

Stanowczo nie zalecam picia herbaty z cytryną. Oba te produkty należy spożywać osobno. Cytrynę kroimy na kawałeczki, mieszamy z miodem i zjadamy łyżeczką jak konfitury, popijając aromatyczną, cierpką, nie spaskudzoną cukrem herbatą. A dlaczego nie należy wrzucać cytryny do herbaty? Otóż, płatki herbaciane posiadają w swoim składzie mikroskopijną ilość glinu (aluminium), który sam w sobie nie jest szkodliwy, natomiast pod wpływem kwasu cytrynowego chemizuje się i - przenoszony w krwiobiegu - osiada w mózgu, tworząc sprzyjające tło dla choroby Alzheimera.

glaki - wszelkie aromatyczne jałowce, jodełki, świerki, miniaturowe odmiany sosny zasadzamy w przydomowych ogródkach. Tworzą one naturalną osłonę domu przed wirusami, gronkowcami, pałkami gruźlicy... Poza tym, jałowiec uspokaja i wyciąga z człowieka wszelkie szkodliwe fluidy. Kiedyś, na Wschodzie - jak ktoś czuł się rozbity, podrażniony, skłonny do kłótni - brał derkę i szedł pod jałowiec. Wystarczyło pół godziny drzemki i wstawało się odmienionym, wolnym od wszelkich złych energii.

ajka, wbrew wszystkiemu, co się o nich mówi, są wspaniałym źródłem właściwego odżywienia i lekiem przeciwmiażdżycowym. Można zjadać sześć jajek na dzień i obniżyć sobie poziom cholesterolu. Pod jednym wszakże warunkiem - nie wolno łączyć ich z cukrem (na przykład, popijając słodzoną herbatą), ponieważ wtedy poziom cholesterolu momentalnie rośnie. Nie łączymy też jajka z tłuszczami nasyconymi, na przykład smażąc jajecznicę na maśle czy smalcu. Najkorzystniejszą postacią są jajka gotowane na miękko. Białko proste w jajkach daje człowiekowi ogromne siły, a w żółtku znajdzie on wszystkie mikroelementy, biopierwiastki i witaminy. Poza tym, jajko zawiera drogocenną lecytynę, zapobiegającą miażdżycy.

Jarzębina, którą dziś podziwiamy jedynie za malowniczy wygląd, posiada owoce, które niszczą wirusy i gronkowce, są kopalnią witamin z grupy A, B i C, podnoszą odporność, pobudzają trawienie. Wprost trudno to sobie wyobrazić, ale z owoców jarzębiny możemy sporządzać w domowych warunkach zdrowotne kompoty i konfitury. Pamiętajmy jednak, że piękne, czerwone jagody mają pod skórką substancję trującą. Ażeby się jej pozbyć należy - po dokładnym wypłukaniu - porządnie zamrozić owoce na okres 3-4 dni. Następnie gotujemy je jak zwykły kompot, mieszając z innymi sezonowymi owocami (świetnie smakują ze śliwkami).

Konfiturę z jarzębiny robimy klasycznie: na wrzący syrop miodowy (kilogram miodu plus dwa litry wody) wrzucamy przemrożone jagody i przesmażamy je trzy dni. Przechowujemy w słoikach. Można je z powodzeniem mieszać z innymi konfiturami.

Karkówka w jarzynach, którą żartobliwie nazwano karkówką á la ojciec Grande, ma rewelacyjny smak i zapach, spożywać ją można na gorąco i na zimno, bez obawy o cholesterol. Wlewamy na dno brytfanny dwie łyżki oleju, kładziemy kilka cienkich plastrów słoniny, na nie sparzone liście kapusty i karkówkę w całości. Obkładamy ją pociętymi w plastry warzywami: marchwią, cebulą, ziemniakami. Można dodać jabłka obrane z łupiny, pocięte na ćwiartki. Wszystko to należy posypać pieprzem i cynamonem, dodać jagody jałowca, piec pod przykryciem. W trakcie pieczenia wlać szklankę białego wina. Zapach będzie taki, że poczują go sąsiedzi z najwyższego piętra.

Kasza gryczana przez całe wieki była podstawą żywieniową sporej części Europy i Azji. Grykę przywieźli do Polski w XIII wieku Tatarzy (na południu do dziś nazywa się ją tatarką). Hordy tatarskie, pokonujące konno tysiące kilometrów, nie ciągnęły ze sobą kuchni polowych. Każdy Tatar siedział sobie na małym koniku, pod siedzeniem miał plastry suszonego mięsa, a do boku przytroczony sajdak - worek skórzany, w którym grzechotała odpowiednio sprawiona kasza. Parzono ją najpierw w pełnym mleku, odcedzano, obsuszano, wrzucano na chwilę do wrzącego masła, znów cedzono i suszono, po czym wsypywano do sajdaka. Taki Tatar co rusz sięgał do worka i pojadał wytrzymując trudy wielotygodniowej podróży, a jak go w jakiejś potyczce skaleczyli, to skóra na nim goiła się jak na psie.

Kasza gryczana posiada 60 procent krzemu, stąd nie ulega zepsuciu i nie tknie jej żaden robak, owad czy mysz polna. Krzem zmieszany z wapniem jest budulcem naszych kości, zębów, włosów... W kaszy gryczanej są całe pokłady rutyny, od której zależy stan arterii żylnych, a tym samym nasza odporność na zawały, wylewy krwi do mózgu, żylaki, hemoroidy.

Kefir znakomicie oczyszcza organizm z niepotrzebnych bakterii, a przy tym obniża cholesterol. Zastępuje mleko przy niedomaganiu trzustki. Nazwa wiąże się z nazwiskiem francuskiego uczonego, który w XIX wieku podpatrzył jak Mongołowie dodawali do mleka śluz zeskrobywany ze ścian w jaskiniach. Mleko szybko się zsiadało, miało specyficzny smak, organizm świetnie je przyswajał. Badania pod mikroskopem wykazały, że w znalezisku znajduje się rodzaj grzyba skalnego.

Grzybki Kefira zakwaszając mleko polują na bakterie gnilne i tym samym oczyszczają je z wszelkich brudów. Tak samo zachowują się w ludzkim organizmie, usuwając nawet jad rakowy. Przy nowotworach, przy podwyższonym cholesterolu, zalecam trzy razy na dzień po pełnej szklance kefiru. A oto, jak go szykujemy w warunkach domowych: gotujemy litr mleka na wolnym ogniu przez pół godziny i wlewamy do kamiennego garnka, czekając aż ostygnie. Następnie wlewamy szklankę kefiru, przykrywamy pokrywką, stawiamy w temperaturze pokojowej. Rano kefir jest gotowy. Wieczorem ponownie zakwaszamy mleko szklanką odłożonego kefiru. I tak dzień po dniu.

Kiełbasę wiejską (swojską) możemy zrobić w mieście, we własnej kuchni. Trzeba postarać się o naturalne flaki (w zakładach mięsnych, w masarniach) i zakupić na targowisku mięso z uboju gospodarczego w następujących proporcjach: 1/3 wołowiny i 2/3 wieprzowiny (w tym karkówka i łopatka). Wołowinę mielemy drobno, wieprzowinę nieco grubiej. Dodajemy pieprz, roztarty czosnek, majeranek, kolendrę, sproszkowany jałowiec; wyrabiamy, nadziewamy flaczek i po sparzeniu mamy fantastyczną, zdrowotną, białą kiełbasę.

Kiszka nadziewana na sposób wschodni jest również nietypowym przysmakiem. Flak z grubego jelita (jak na salceson) wypełniamy farszem, na który składają się: utarte i odsączone ziemniaki, skwarki ze smażonego boczku, cebula podrumieniona pół na pół z posiekaną surową, przetarte 3-4 jajka na twardo, trochę tartej bułki do usztywnienia, sporo pieprzu, sól. Pieczemy taką kichę w brytfannie w bardzo gorącym piekarniku i podajemy z kwaśną kapustą. Palce lizać!

Mazurki wielkanocne powinny zachować świeżość do dwóch miesięcy. Sekret ich długowieczności tkwi w tym, że ciasto piecze się na maśle, dodając uprzednio trochę mąki ziemniaczanej i 2-3 łyżki oleju. Taka „baza" zapobiega wysychaniu. Po wyrobieniu ciasto wyziębiamy w lodówce (kiedyś stawiało się je na noc na kamiennej posadzce kuchni) i pieczemy naszpikowane bakaliami: orzechami, figami, suszonymi śliwkami, skórką pomarańczową (uprzednio zasmażoną w lukrze). Wierzch złociście podpieczony smaruje się białkiem i nakłada gęste konfitury, dodatkowo usztywnione odrobiną bułki tartej i mąki ziemniaczanej. Ozdabiamy to wszystko kratką ułożoną z paseczków ciasta katulanego na stolnicy, dodatkowo posypując gruboziarnistym krystalicznym cukrem. Rozpłynie się on podczas pieczenia, tworząc tafelkę trzaskającą pod zębami. Mazurek krojony na małe kawałeczki nie ma prawa się rozsypać.

Mąka nie jest dziś szanowana. Nikt już nie myśli o tym, że do końca XVIII wieku w każdym domu były żarna i mąkę pozyskiwano w efekcie ciężkiej pracy fizycznej. W związku z tym dozowano ją oszczędnie, tylko według potrzeby - na chleb, na zacierki do porannego mleka, na kluski. Gruboziarnista, niepytlowana, obfitująca w wartości odżywcze, była skarbem w domowym gospodarstwie. A dziś? W naszych sklepach na jednej półce leży 120 rozmaitych wiktuałów mącznych z tak zwanej uzdatnionej mąki, której odebrano naturalną szlachetność. Nadmierne, bezmyślne spożywanie mąki o każdej porze dnia, nie wzbogacone warzywami i owocami, spowodować może znaczne niedożywienie, nawet mimo przybierania na wadze.

Miód jest środkiem odżywczym, wzmacniającym, regenerującym, krzepiącym. Może go stosować i niemowlę, i starzec. Wytwarzające go „muchy Boże" (pojawiły się miliony lat przed człowiekiem) - są owadami najczystszymi w świecie, całkowicie aseptycznymi. Pyłek zawiera około 250 rozmaitych substancji, między innymi białka, węglowodany, lipidy, witaminy, biopierwiastki... Stosuje się go w chorobach żołądka i jelit, wątroby, gruczołu krokowego, miażdżycy, chorobach nerwowych i psychicznych. Propolis - kit o wielkiej sile bakteriobójczej, który służy pszczołom do uszczelniania i utrzymywania sterylności ula, sprawdza się w likwidowaniu odleżyn, owrzodzeń, grzybicy, egzemy, zapalenia gardła i dróg moczowych, bronchitu, paradontozy...

Zdrowotne są wszystkie odmiany miodu. Ważne tylko, aby produkt nie okazał się „fałszywką" z domieszką krochmalu, mąki czy kredy. Można to rozpoznać: kropla prawdziwego miodu nie potoczy się po wygładzonej powierzchni, w przeciwieństwie do miodu fałszywego.

Najprostsza, wzmacniająca, profilaktyczna, domowa kuracja miodowa to wypijanie codziennie rano przed śniadaniem szklanki przegotowanej wody z łyżką miodu i odrobiną drożdży, który to napój przygotowujemy poprzedniego dnia wieczorem.

Pokrzywa wyrastająca na wiosnę to zioło niezwykle wartościowe. Niegdyś, z powodu biedy, często trafiała do polskich kuchni. Kiedy ma około 10 cm należy ją zerwać, przepłukać, osączyć z wody, przepuścić przez maszynkę do mięsa, wycisnąć sok do słoika przez lnianą szmatkę, przechowywać w lodówce i pić trzy razy dziennie po dwie łyżki. Nie ma nic lepszego na wzmocnienie po zimie. Pokrzywa - znana od wieków jako zioło odżywcze, dostarczające w wielkich ilościach żelaza, kobaltu, krzemu - wspiera organizm w walce z anemią i rakiem.

Nasze babki na wiosnę gotowały zupę szczawiową z pokrzywą (pół na pół), w której neutralizowały się szczawiany i nie było zagrożenia kamicą nerkową. Przyrządzały też energetyczną jajecznicę na pokrzywie: nakrojoną młodą pokrzywę wrzucamy na smażoną słoninę, a kiedy się trochę sparzy - wbijamy jaja.

O**górek** - warzywo niezbyt wartościowe - nabiera wartości w trakcie zakwaszania. Zanurzony w wodzie z solą, z dość dużą ilością czosnku, kopru i chrzanu, ogórek wytwarza kwas z bogactwem witaminy C. Ważne, by w takich zaprawionych słojach nie było zbyt wiele soli, która wyciąga wilgoć i powoduje miękkość skórki. Z ogórka robi się kapeć.

Tak zwane ogórki konserwowe, zaprawiane octem, nie posiadają wartości odżywczych. Ocet niszczy życiodajne substancje. Również ogórki małosolne (na przekór nazwie dodaje się do nich dużo soli), są wartościowe tylko pod względem zapachowo-smakowym.

P**rzeciąg** jest najlepszą formą wietrzenia mieszkania. Należy to robić we właściwy sposób, nie narażając zdrowia. Przed snem dobra gospodyni otwiera na 10 -15 minut drzwi i okna w sypialni, dbając, by w tym czasie nie stał w przeciągu nikt z domowników (gwałtowne oziębienie może wywołać przykurcze nerwów lub skłonność do chorób zakaźnych). Przepływ powietrza wyrzuca z pomieszczenia ogromne ilości nagromadzonych substancji uczuleniowych, roztoczy, które są pożywką dla drobnoustrojów, szkodliwych jonów wyemitowanych przez całodzienną pracę telewizora. Samo otwarcie okna, bez przeciągu, daje połowę efektu: zimne powietrze wchodzi dołem, ciepłe ucieka do góry, a pośrodku kłębi się to wszystko, co powinno zostać wyrzucone z gwałtownym powietrznym podmuchem.

Zalecam tam, gdzie jest to możliwe pozostawianie na dzień niepościelonych łóżek. Idąc do pracy odrzucamy kołdrę i uchylamy okno. Pościel wysycha z potu, świeże powietrze neutralizuje nagromadzone nocą bakterie i wirusy.

Sól kopalniana niesie ze sobą ogromne bogactwo selenu, żelaza i kobaltu. Niestety, w przemysłowej obróbce, podczas mycia, płukania i warzenia, naturalne bogactwo soli jest wypłukiwane do Wisły (gdzie zatruwa środowisko). Wybieloną do najwyższych granic, a następnie zmieloną substancję, nasyca się jodem zakupionym za ciężkie dolary za granicą i pakuje do torebek, z których - po otwarciu - jod bardzo szybko ulatuje. Pozostaje sól bezwartościowa, posiadająca jedynie walory smakowe. Zalecam zarzucenie drobnej, nienaturalnie białej soli na rzecz soli kopalnianej z Kłodawy, jak najmniej oczyszczonej, szarej, „brzydkiej" z wyglądu..

Tłuszcze używane w naszych kuchniach nie są obojętne dla zdrowia. Stanowczo odradzam margarynę. Do smarowania najzdrowsze jest masło, do pieczenia, smażenia stosujemy oleje (bardzo wartościowy z konopi), smalec, czysty łój. Margaryna, jako produkt wysoko przetworzony, robi szkody w ludzkim organizmie. Wystarczy pomyśleć - jaki proces technologiczny musi przejść olej naturalny, ile po drodze dodaje się do niego substancji chemicznych (w tym i rakotwórczych), sztucznie produkowanego kwasu masłowego, utrwalaczy i barwników (gdyby nie pomarańczowa farbka, margaryna byłaby trupio blada) - aby uzyskać postać, jaką w efektownym opakowaniu nabywamy w sklepach.

Nawiasem mówiąc, nie ukazała się jak dotąd w świecie naukowym żadna praca, która potrafiłaby uzasadnić zdrowotność spożywania margaryny.

W **ino,** a dokładnie wino czerwone po obiedzie, powinno zastąpić w Polsce zwyczaj picia chemicznie przyprawionych soków, które nie mają nic wspólnego z naturalnymi sokami owocowymi. Lampka czerwonego, półwytrawnego lub wytrawnego wina (można rozcieńczać niegazowaną wodą mineralną) w 60 procentach poprawi trawienie, usprawni przemianę materii, ochroni przed odkładaniem złego cholesterolu.

Francuzi, równoważąc swoją ciężką kuchnię czerwonym winem, mają stosunkowo niewielką zapadalność na choroby wieńcowe na tle mażdżycowym.

W **odę** krzemionkową, która orzeźwi o każdej porze roku, a przy okazji wzmocni nasze arterie żylne i zahartuje śluzówki, uzyskujemy w domowych warunkach w następujący sposób: 5 - 10 dkg suszonego skrzypu rozetrzeć na piasek, wsypać do emaliowanego dużego garnka, zalać niegotowaną wodą, zostawić na noc. Rano pogotować 20 minut, odstawić, poczekać, aż woda ustoi się i ostygnie. Dzięki zawartości krzemu w wyraźny sposób zrobi się twarda. Cedzimy ją przez niezbyt gęste sitko i wlewamy do kamiennego wyziębionego garnka. Garnek taki paruje i nie dopuści, by woda się nagrzała. W ten sposób pozyskujemy krzemionkę - wyśmienitą, twardą wodę wprost do picia, do zaparzania herbaty, gotowania zup, mycia zębów. Z powodzeniem zastępuje wody mineralne.

W**oda** z kranu, jeśli przemrozimy ją w domowej lodówce, podlega procesowi zbliżonemu do oczyszczającej destylacji i świetnie nadaje się do bezpośredniego spożycia. Przed mrożeniem trzymamy wodę w otwartym garnku przez noc, żeby uleciał chlor, następnie gotujemy ją 10 minut, studzimy, wlewamy do plastikowych butelek po wodzie mineralnej. Układamy je w zamrażalniku. Po przemrożeniu, woda nabiera smaku i charakteru wody pierwotnej, szybciej gasi pragnienie, nie działa przeziębiająco, nawet jeśli jeszcze lód stoi w butelce.

Z**iemniaki** zawdzięczają swoją wartość odżywczą umiejętności gotowania. W Polsce nie zdajemy sobie sprawy z tego, że od sposobu gotowania zależy, czy spożywać będziemy pełnowartościowy produkt, czy pustą skrobię rozpychającą brzuch. Po pierwsze więc: wyrzucamy ziemniaki zazielenione i kiełkujące ze względu na zawartość trującej sulaniny, po drugie - przed obieraniem (tak jak to jest praktykowane w żydowskiej kuchni) ziemniaki dokładnie myjemy, używając do tego miękkiej szczoteczki, po trzecie - obieramy cieniutko, ponieważ najbliżej skórki znajdują się cenne minerały i witaminy, po czwarte i najważniejsze - pokrojone ziemniaki wrzucamy od razu do wrzątku, tak by skrobia ścięła się na powierzchni, nie pozwalając na wypłukanie najwartościowszych składników. Podczas gotowania wlewamy szklankę mleka, dodajemy łyżeczkę masła oraz przekrojoną cebulę. Solimy, kiedy ziemniaki zaczynają miękąć. Po ugotowaniu są one już omaszczone, pachnące i odżywcze, tak że nie trzeba dodawać żadnych sosów.

Zupę wigilijną gotujemy na tym, co odrzucimy z karpia, czyli na głowie i płetwach. Dodajemy w dużych ilościach marchew, pietruszkę, seler, 2-3 główki cebuli, pieprz w całości, liść laurowy. Po ugotowaniu cedzimy przez durszlak dodając roztarte na sitku dwa jaja na twardo z ugotowanym ziemniakiem. Dodajemy makaron „świderki", przyprószamy szczypiorem.

Karpia przed gotowaniem należy wymoczyć w zimnej wodzie przez dwadzieścia minut.

Bonifratrzy,
czyli dobrzy bracia

Historia bonifratrów w świecie liczy blisko 500 lat. Założyciel zakonu - święty Jan Boży (nazwisko rodowe - Jan Ciudad) urodził się 8 marca 1495 r. w Portugalii, w małym miasteczku Montemoro-Novo. Jak to często u świętych bywa, nim odnalazł właściwe powołanie, przeszedł burzliwe koleje losu. Był to czas odkrywania Ameryki, duch przygody unosił się w powietrzu. Ośmioletni Janek zniknął pewnego dnia z rodzicielskiego domu, by przyłączyć się do mnicha, udającego się do Hiszpanii. Zawędrował w pobliże Nowej Kastylii i tam na lata został pasterzem bydła. Dwukrotnie zaciągał się do wojska (brał udział w kampanii wojennej króla Ferdynanda na Węgrzech).

Pomaleńku w tej awanturniczej naturze dojrzewało właściwe powołanie. Jan Ciudad udał się przez Gibraltar do Afryki, by pracować tam na rzecz niewolników. Biografowie nazwali „pierwszym krokiem do świętości" fakt, iż młody Jan, pracując przy fortyfikacji portu, utrzymywał jedną z hiszpańskich rodzin szlacheckich, pozbawioną pracy i możliwości powrotu do ojczyzny. Po czasie Jan Ciudad odpłynął z nią do Hiszpanii i osiadł w Grenadzie.

Miał 44 lata, kiedy do Grenady przybył słynny kaznodzieja Jan z Ávila. Któregoś razu, słuchając go, Jan Ciudad wzruszył się do tego stopnia, że wybiegł z kościoła i klęknąwszy na ulicy wołał na cały głos: „Miłosierdzia, miłosierdzia..." Zachowywał się jak człowiek umysłowo chory, więc... zabrano go do szpitala.

Krętymi ścieżkami Bóg wyprowadza swoje dzieci na prostą drogę... Jan Ciudad w szpitalu odnalazł to, czego w swoim dość już długim życiu poszukiwał. Poznał warunki szpitalne, nędzę i ból, chorych, traktowanych często w sposób nieludzki. Powziął decyzję, iż sam założy szpital. Miało się w nim znaleźć miejsce dla wszystkich, bez względu na ich stan społeczny, pochodzenie i religię, a także - dla chorych psychicznie, których średniowieczna Europa traktowała gorzej jak zwierzęta.

Pierwszy, skromny szpital dla ubogich, założony w Grenadzie, liczył 42 łóżka. Jan spełniał w nim wszystkie posługi: gotował, sprzątał, mył chorych, odmawiał z nimi wspólne pacierze...

Boży zapał, z jakim Jan Ciudad prowadził swoje dzieło, zapalił innych. Przekazywano znaczne darowizny i wkrótce mógł powstać kolejny, tym razem wielki szpital, a przy nim schronisko dla 200 ubogich i bezdomnych. Przyszły święty darzył chorych i opuszczonych miłością heroiczną. Któregoś razu znalazł się w pobliżu pożaru. Płonął założony przez króla szpital w Grenadzie. Jan rzucił się w płomienie i wynosił chorych na własnych rękach.

W 1540 r. miejscowy biskup ofiarował mu strój, przypominający habit zakonny. Składał się z płóciennych spodni do kolan, kaftana i krótkiego płaszcza z kapturem z szarej wełny. „Odtąd będziesz się zwał Janem Bożym" - powiedział biskup. Nazwanie przyjęło się w Grenadzie i okolicy, zastępując Janowi Ciudad jego rodowe nazwisko.

W 1550 r. pośpieszył na ratunek tonącemu chłopcu. Przeziębił się i ciężko rozchorował. Do zdrowia już nie wrócił. Zmarł w dniu urodzin - 8 marca, w wieku 55 lat, po 11 latach służby ubogim.

Dzieło czynnego miłosierdzia, podjęte przez Jana Bożego, zyskiwało coraz większy podziw i szacunek. Liczba naśladowców wzrastała, choć Jan Boży za życia nie zabiegał o założenie zgromadzenia, nie zostawił też - poza własnym przykładem - żadnej reguły zakonnej.

1 stycznia 1572 r. papież Pius V usankcjonował istnienie Zakonu Braci Szpitalnych (bonifratrów), nadając mu regułę świętego Augustyna. Strojem zakonnym stał się habit wraz z nałożonym na wierzch długim, sięgającym kolan, szkaplerzem. Znakiem zakonu jest pęknięty owoc granatu zwieńczony małym krzyżem. Symbolizuje on miłość miłosierną, nie mającą końca, jak w niekończący się sposób wysypują się maleńkie owoce z pękniętego owocu granatu.

W 1630 r. papież Urban VIII nadał Janowi Bożemu tytuł błogosławionego, a w 1690 r. papież Aleksander VIII dokonał kanonizacji. W katalogu świętych ukazał się wpis następującej treści:

„ Grenada, Hiszpania, święty Jan Boży, założyciel Zakonu Braci Szpitalnych, którzy służą chorym, wsławił się współczuciem względem ubogich i pogardą dla samego siebie".

Jan Boży jest patronem chorych i umierających, a także lekarzy, pielęgniarek i szpitalnictwa. Jego imię występuje w Litanii do Wszystkich Świętych.

Historia bonifratrów w Polsce sięga przełomu XVI i XVII wieku. Pierwszym bonifratrem, który stanął na polskiej ziemi, był brat Gabriel, hrabia Ferrary. Przybył on z Wiednia, aby ratować zagrożone zdrowie króla Zygmunta III Wazy. Interwencja była skuteczna. Po tym zdarzeniu król poparł zamiar sprowadzenia bonifratrów do Polski. Osadzono ich w Krakowie w 1609 roku, fundując klasztor, kościół i szpital przy ulicy św. Jana. Pierwszym przełożonym został brat Melchior Bonawentura.

Jeszcze w tym samym wieku bracia zakonni osiedli w Warszawie (klasztor i szpital doszczętnie zniszczone w czasie Powstania Warszawskiego), Zebrzydowicach, Pułtusku, Łowiczu, a później w Krasnymstawie, Lublinie, Zamościu, Cieszynie. W XVIII wieku założona została Prowincja Polsko-Litewska Zakonu Bonifratrów. Przestała istnieć po rozbiorach i kolejnych powstaniach, a odrodziła się jako Prowincja Polska dopiero w roku 1918.

W czasie II wojny światowej bracia zmuszeni byli opuścić większość szpitali. Po 1945 roku rozproszeni bonifratrzy wrócili do Warszawy, gdzie powstał Urząd Prowincjonalny. Zakon przetrwał, mimo haniebnych poczynań komunistów, do dziś. Obecnie klasztory wraz z rozwijającą się przy nich działalnością medyczno-opiekuńczą i ziołoleczniczą, a także wyodrębnione placówki pomocy znajdują się w Krakowie, Warszawie, Wrocławiu, Zebrzydowicach, Łodzi, Cieszynie, Katowicach, Iwoniczu, Zakopanem.

Opracowano na podstawie biuletynów zakonu oo. bonifratrów we Wrocławiu.

Zakon O. O. Bonifratrów we Wrocławiu zaprasza młodych mężczyzn po szkołach zawodowych, średnich
i wyższych, którzy chcieliby pracować wśród chorych
i dla chorych w duchu św. Jana Bożego.

Adres Kurii Prowincjonalnej
ul. Traugutta 57/59
50-417 Wrocław
tel. 071-44-84-74

Spotkania z ojcem Janem

Bonifraterskiej pomocy potrzebują i duzi i mali

W gabinecie ojca Jana, pod okiem Matki Boskiej

Na kolejne spotkania przywozimy gazety z wydrukowanymi roz-
mowami. Ojciec Jan przegląda je nie szczędząc dowcipnych
uwag.

Każda wizyta to także okazja do spróbowania specjałów z kuchni ojca Jana

Najzdrowszy jest chleb razowy

Na progu siedziby wrocławskich bonifratrów

Nie brak chętnych po zioła, nalewki, balsamy i maści bonifratrów